Quando a morte chega em casa

CIP-BRASIL. CATALOGAÇÃO NA PUBLICAÇÃO
SINDICATO NACIONAL DOS EDITORES DE LIVROS, RJ

Q24

Quando a morte chega em casa / [organização] Teresa Vera de Sousa Gouvêa, Karina Okajima Fukumitsu. - 1. ed. - São Paulo : Summus, 2022.
120 p. ; 21 cm.

ISBN 978-65-5549-059-6

1. Morte - Aspectos psicológicos. 2. Perda (Psicologia). 3. Luto - Aspectos psicológicos. I. Gouvêa, Teresa Vera de Sousa. II. Fukumitsu, Karina Okajima.

21-74794   CDD: 155.937
         CDU: 159.942:393

Camila Donis Hartmann - Bibliotecária - CRB-7/6472

www.summus.com.br

Compre em lugar de fotocopiar.
Cada real que você dá por um livro recompensa seus autores
e os convida a produzir mais sobre o tema;
incentiva seus editores a encomendar, traduzir e publicar
outras obras sobre o assunto;
e paga aos livreiros por estocar e levar até você livros
para a sua informação e o seu entretenimento.
Cada real que você dá pela fotocópia não autorizada de um livro
financia o crime
e ajuda a matar a produção intelectual de seu país.

Quando a morte chega em casa

Teresa Vera de Sousa Gouvêa
Karina Okajima Fukumitsu

summus editorial

QUANDO A MORTE CHEGA EM CASA
Copyright © 2022 by autores
Direitos desta edição reservados por Summus Editorial

Editora executiva: **Soraia Bini Cury**
Edição: **Janaína Marcoantonio**
Revisão: **Raquel Gomes**
Capa: **Alberto Mateus**
Diagramação: **Crayon Editorial**

Summus Editorial

Departamento editorial
Rua Itapicuru, 613 – 7º andar
05006-000 – São Paulo – SP
Fone: (11) 3872-3322
http://www.summus.com.br
e-mail: summus@summus.com.br

Atendimento ao consumidor
Summus Editorial
Fone: (11) 3865-9890

Vendas por atacado
Fone: (11) 3873-8638
e-mail: vendas@summus.com.br

Impresso no Brasil

Sumário

Prefácio 7
Maria Julia Kovács

Apresentação 13
Teresa Vera de Sousa Gouvêa e Karina Okajima Fukumitsu

A chegada da morte e seus desassossegos 15
Teresa Vera de Sousa Gouvêa

Um dedo de prosa com a morte vira braço que busca o abraço . 23
Karina Okajima Fukumitsu

Pequeno poema de dor 33
Maria das Graças Mota Cruz de Assis Figueiredo

Como aprender a dizer adeus. 39
Miguel Angelo Boarati

O Doutor. 45
Ana Lucia Coradazzi

A vida nas suas miudezas 51
Rafael Stein

Naquela mesa 57
Maria Júlia Paes da Silva

A vida em cada morte que vivi 67
Mariana Ferrão

Vida: dançando com a morte 75
Plínio Cutait

A casa vazia 85
Michelle Bittencourt Braga

As três mortes da minha vida 91
Tom Almeida

Uma companheira, muitas histórias... 99
Juliana Martins de Mattos Gonnelli

Para levar a vida bem há de se levar a morte também 107
Ricardo Gonzalez

Prefácio

Em pleno século 21, a morte ainda é tabu, desconhecida, estrangeira. Mas também é doméstica, familiar e reconhecida. É aquela que convive conosco em nossa casa; com a qual nos comunicamos com certa intimidade.

A morte, quando chega, desestabiliza um mundo conhecido e familiar. Pode invadir o ambiente ou chegar devagarzinho, pedindo licença. Seja como for, virá — e, mesmo que não seja convidada, virá como penetra. Pode ser esperada e acalentada, quando a doença é longa, com sofrimento; nesse caso, por vezes será vista como um anjo que nos levará nos braços. Ou pode ser escancarada, quando ocorre um acidente, homicídio ou suicídio, assombrando as pessoas próximas; nesse caso, irrompe e causa desconforto, desespero, desesperança, desamparo.

São tantas as formas de morte, e cada experiência vivida é singular. É o que vamos ler nesta obra, em que os autores, profissionais de saúde e de outras áreas, dividem conosco, de corpo e alma, suas histórias. São relatos da perda de pessoas que deixaram marcas na vida dos escritores, promovendo a construção do sentido em sua existência. Essa construção tão importante na elaboração do luto é compartilhada conosco não para ser copiada, mas para despertar emoções e trazer reflexão. Nessa perspectiva, o livro pode ser considerado didático; a aprendizagem é significativa.

Não se trata de um livro didático convencional, mas de uma obra em que imperam sensibilidade e profundidade. Poderiam ser conversas ao pé da lareira, na cozinha, na sala, no jardim. Os relatos nos sensibilizam porque são muito parecidos com o que vivemos. Temos a impressão de estar lendo um romance, mas não se trata de ficção: é a realidade de quem nos conta a trama e o drama com lirismo.

Há mortes lentas, em que se morre um pouco a cada dia; outras são rápidas. Há mortes invertidas, com jovens morrendo antes dos idosos, causando impacto, tornando mais difícil encontrar explicações. Será que mortes devem ser explicadas? Como dizer que a morte de um velho impacta menos, sabendo que morrer faz parte do existir humano? Sabemos que a dor dói em quem a sente; não conseguimos medir a intensidade da dor, sobretudo quando envolve nosso filho, pai ou avô. É com esse coração aberto que devemos ler as histórias aqui narradas. Cada relato apresenta uma trajetória cheia de tonalidades. A morte deixa lembranças e saudade. Esta última, palavra tão brasileira, carrega um sentimento que embala o coração com as memórias do que se viveu com a pessoa falecida.

A morte parece ser um elemento distante, até que vai se aproximando e se torna presente. Tem várias representações: o carrasco, algoz que com sua foice interrompe uma vida, a velha desdentada que com o hálito fétido indica a sua presença. Mas pode ser também uma figura angelical e bela que seduz e conduz a pessoa a um lugar de tranquilidade, uma personagem maternal que acolhe em seus braços acenando com conforto e repouso.

A morte ainda é vista como tabu, do qual não se deve falar para não criar sofrimento ou constrangimento. Este livro provoca uma fratura nesse tabu ao trazer histórias de morte em primeira pessoa. Numa época em que a sociedade interdita a morte e as emoções, falar do assunto com sensibilidade e afeto é importante tanto da perspectiva teórica quanto didática. Daí a relevância dos textos, que estimulam o contato com nossos sentimentos. Não é um livro para fracos, mas para corajosos que se abrem à sensibilidade. Os capítulos falam de empatia, compaixão e solidariedade, de como a morte tingiu a vida dos articulistas, ampliou sua existência, aprofundou relacionamentos.

Há também relatos sobre os últimos momentos vividos com a pessoa querida, os pequenos gestos antes da morte, a oferta de conforto, as últimas palavras, as despedidas que marcarão as memórias, colorindo as saudades. Profissionais cuidam segundo seus conhecimentos; familiares e amigos também, mas com o conhecimento da vida dos seus entes queridos, seus desejos e vontades. Esses cuidados são muito importantes porque ajudam no processo de luto posterior, trazendo a sensação de que se fez o melhor para a pessoa querida no final de sua vida.

A morte não é uma derrota, nem da pessoa no final da vida, nem do profissional que cuida. A tecnologia e os procedimentos sofisticados podem levar à perda da noção de que ela faz parte da existência. A distanásia muitas vezes se faz presente, prolongando o processo de morte com sofrimento, uma não aceitação de que ela já se instalou, como indica a falência de órgãos. Não é dessa morte que se fala neste livro, e sim daquela que nos habita e conta com a participação das pessoas queridas no processo.

Para alguns profissionais, os estudos sobre a morte são uma forma de controle sobre o que ainda não conhecem. Uma busca legítima pode se tornar um problema se gerar onipotência, uma sanha de salvar vidas, proposta ainda presente em vários programas de formação. Não é o que se vai encontrar neste livro, em que os profissionais se desvestem do saber técnico e trazem suas dúvidas e questionamentos sobre como cuidar melhor de suas pessoas queridas. Confirmam que muito aprenderam com a perda de seus familiares e pacientes.

A morte está entre nós desde a infância, quando ocorrem as primeiras experiências de perda, que marcam profundamente a vida das crianças e são acionadas em situações de perda e luto. Seus atributos, irreversibilidade e universalidade, são aprendidos a partir da experiência. Perguntamo-nos: como ainda prevalece um discurso de que profissionais de saúde não se sentem preparados para lidar com a aproximação da morte de seus pacientes? O que acontece na trajetória de profissionais de saúde para que desaprendam o que já sabiam desde crianças? Elizabeth Kübler-Ross nos diz: não se trata de controlar a morte e sim de aprender com ela.

Há a ilusão de que um dia chegaremos à imortalidade, um desejo mágico de que superaremos a morte ao tomar uma poção, uma medicação, um tratamento. Ouvimos notícias de pessoas que investem fortunas imensas para garantir a sobrevivência eterna. Porém, que imortalidade queremos? Imaginamos que será a juventude eterna e não a velhice para sempre, com todas as suas doenças e limitações. Uma vez imortais, nunca morreremos, e o sofrimento se prolongará eternamente.

A pandemia de Covid-19 desalojou a morte, tirou-a da casa, do conforto, na contramão do que está expresso neste livro. Tornou-se estrangeira: ocorre na UTI, em que se luta bravamente contra ela, com tratamentos intensivos; longe das varandas, das salas ou dos jardins. A Covid é uma doença sistêmica da qual ainda não se conhecem os tentáculos. Muitas mortes acabam ocorrendo em local frio, estranho, com ruídos intensos, apesar dos esforços hercúleos dos profissionais envolvidos. Família e amigos mal conseguem se despedir, velar e cuidar de seus entes queridos. Há tentativas frenéticas de tratar, salvar e recuperar. As 614 mil pessoas que morreram no Brasil até 29 de novembro de 2021 (colocamos a data porque os números crescem a cada dia) sofreram e não puderam ter o conforto caseiro, a presença das pessoas queridas, e boa parte delas não recebeu cuidados psicossociais nem teve os ritos funerários que os familiares promovem para homenagear seus mortos. A falta de tais rituais, o isolamento, a ausência de familiares e amigos nos hospitais, nos velórios e nos enterros repercutem no processo de luto, provocando sofrimento, com risco de adoecimento e dificuldade de readaptação à vida sem a pessoa querida.

Aprendemos com as mortes que vivemos, que vão constituindo nosso repertório para lidar com situações adversas, principalmente com a que é a mais impactante em nossa vida: a perda de pessoas queridas. Aprendemos também compartilhando reflexões com aqueles que nos falam de sua experiência com sabedoria e arte, como neste livro.

Quando a morte chega em casa

Parabéns, Teresa Vera Gouvêa e Karina Okajima Fukumitsu, que organizaram este livro, escreveram relatos e convidaram outros escritores. Convido a todos a apreciar a obra com o coração aberto, e tenho certeza de que ficarão sensibilizados com a leitura. Trata-se de um livro didático e lírico, que poderá ser apreciado com a mente e o coração. Sem dúvida, integrará a bibliografia indicada para os estudos sobre a morte e o morrer.

MARIA JULIA KOVÁCS
Professora livre-docente do Instituto de Psicologia
da Universidade de São Paulo

Apresentação

Teresa Vera de Sousa Gouvêa e Karina Okajima Fukumitsu

A *morte chega* em casa com roupas diversas. Pode chegar quietinha e, lentamente, se acomodar na sala, sentar-se à mesa e, sem que a gente perceba, se ajeitar nas cobertas da cama. Nessa despedida, quem amamos vai indo embora aos poucos; primeiro desconhece os cômodos da casa, depois as memórias se confundem e, finalmente, não saberá quem somos... Ela pode, também, chegar rapidamente; uma mensagem ou uma ligação e o mundo da gente muda, some quem estava ali ontem, voa – na velocidade da luz, vai morar em lugares que nossos olhos não alcançam. Independentemente das vestes dessa senhora, precisamos que o amor fique, que a história permaneça, achando jeitos de enganar as despedidas.

Este livro fala do dia em que a morte chega em casa e carrega a voz, o olhar, os passos e o cheiro para outras paragens. Ele aborda despedidas, lentas e velozes, fala de saudade e do amor que ficam para sempre.

Os capítulos são recortes de histórias vivenciadas pelos autores, narrativas de experiências que viveram, em algum momento da vida, com a chegada da morte, seja nos cômodos de casa ou como profissionais de saúde que lidam com essa realidade diariamente. Nosso desejo foi trazer relatos que aproximassem os leitores, em algum momento, de cenas já conhecidas, percorridas nas travessias de vida e morte. Desejamos que as histórias sejam um lugar de conforto e pertencimento.

Esta obra chegou de forma suave pelo convite carinhoso de Teresa Gouvêa para que organizássemos um livro que lançasse luz no momento sombrio que é precipitado quando a morte chega em casa.

Bom seria se ela chegasse como foi o enlace desta parceria: de forma organizada, para que pensássemos conjunta e cuidadosamente a maneira como conduziríamos esta trajetória. Mas, infelizmente, com a morte não é bem assim, pois quando ela surge não nos dá tempo para refletir sobre os novos rumos da vida. Normalmente, ficamos sem chão, pois o prumo do conhecido e do conhecimento que tínhamos parte com aquele que morreu. A parceria entre nós e a pessoa amada se apresenta desequilibrada, e a ausência presente e a presença ausente se anunciam e ficam por muito tempo nos rondando...

É estranheza que a morte provoca. É território fragmentado que temos de percorrer. É trilha sem destino que se desnuda e nos coloca em estado de sofrimento, dor e ceticismo diante do difícil ato de enfrentá-la. Aliás, enfrentamento é ação que fica comprometida, pois a promessa do comprometimento, daquilo que *prometemos com*, se vai quando a morte chega em casa e em nossa morada existencial.

A chegada da morte e seus desassossegos

Teresa Vera de Sousa Gouvêa

Ela não tem dia, desrespeita horários, chega durante o sono, o café da manhã, um vestibular ou um namoro. As falas sobre a sua chegada sempre são muito parecidas; no amor imenso que temos pelos habitantes do nosso coração, esperamos notícias, feito combinação de um café, de um almoço ou da hora de dormir. Notícias não há, ela pouco se importa com o que pensamos; mas nos conta, no silêncio ou no barulho, sobre a certeza de estarmos em uma travessia, com chegadas e partidas.

Eu e meu pai estamos no mar, ele me segura, essa cena vai e volta. Conheci o mar quando tinha uns 9 anos, meu pai ficou comigo nesse lugar, ele, um misto de pai e criança, era assim que ele era, é assim que ele fica.

Anne acenando do carro, com uma flor no cabelo e um vestido rosa, silenciosa e doce, assim ela era, assim ela fica.

Das várias mortes que passaram por minha vida, essas duas em especial me marcaram. Meu pai, pelas nossas parecenças, pelo acolhimento que me foi oferecido em vida, por ter inaugurado meu olhar neste mundo através dele e de minha mãe. Anne, única filha de minha cunhada, pela doçura, pela interrupção do que tinha para viver, pelos inacabados.

Meu pai, um homem silencioso para as coisas em que não sabia colocar nome, aquelas com que a gente não sabe bem como lidar. Quando discordava, sorria e silenciava. Noutras vezes, não queria conversa.

Ele conheceu o pai aos 18 anos, possivelmente o lugar de nascimento de suas quietudes; a partir dali uma convivência tímida, mas afetuosa. Seu pedido, repetido tantas e tantas vezes, ser enterrado com o pai; afinal, dizia, ele estava só e não queria que fosse assim. Nesse pedido, o ajuntamento em morte do que foi impedido em vida. Nesse pedido, o amor, a falta e o perdão.

No silêncio moravam suas escolhas, mas o acolhimento aparecia no afago no cabelo enquanto proseava, sim, prosear era seu lugar de vida, depois de minha mãe, por quem nutria um amor precisado e imenso. Eu me chamo Teresa em nome desse amor, mesmo nome de minha mãe.

Meu pai, um dia qualquer, porque as coisas acontecem num dia qualquer, há poucos anos, apresentou tremor em uma das mãos. Iniciava aí seu luto pelo que viria, escondia a mão, segurava, tentando impedir o que não se impede, a vida se despedindo da vida lentamente. A ida ao médico adiada e adiada, como se, desconhecendo, pudesse retardar.

Após o diagnóstico, Parkinson e Alzheimer, seguiu, sem compreender muito bem o que viria. Os dias passaram, o mundo rodando independentemente dos medos de meu pai, ele não falava sobre eles, talvez doessem tanto que não podia se achegar. Me recordo um dia em que me chamou apressado para ver alguém na rua (morava em uma cidade pequena, onde todos se conhecem pelo nome), assustado com a lentidão e o amparo do passante ao caminhar, me disse que ele tinha Parkinson. Essa foi a única vez em que me falou do seu medo, do nosso medo.

Devagar foi esquecendo das coisas, o valor das notas, as contas (ele, comerciante, sempre foi bom nisso). O tempo passando, parou de dirigir, outro grande luto, talvez o mais sofrido de todos; nessa escolha, sabia o que estava fazendo e o porquê, mesmo sem falar.

Os esquecimentos tornaram-se mais frequentes, eram como intervalos numa cena principal. Morava numa casa pequena, saía do quarto e perguntava do banheiro. Ia à cozinha e perguntava quem havia deixado tantas coisas por ali. Enquanto isso acontecia, caminhava pelas ruas da cidade, não conseguia ter uma vida sem outras vidas, a prosa era um jeito de se sentir vivo.

De repente um melanoma seguido de um coração que merecia cuidados, insuficiência cardíaca. O melanoma fica esperando o coração, que faz pouco caso do primeiro. Ali, teve início um declínio que ocorreria em dois meses. Deu entrada no hospital; infelizmente a tosse do coração, enganosa, sinalizou Covid — os exames, o desejo de explicar que estava trancado em casa, nada disso foi visto diante do medo da médica e da necessidade de um protocolo. Internado e isolado, sem Covid, internado e só, mas ele não sabia ficar só e não conseguia entender o que estava acontecendo, a noção espaçotemporal ausente. Após a internação, não sabia mais ser quem era, hoje penso que o agravamento teve como sintoma a solidão.

Veio para casa, não comia, um de seus lugares favoritos, entre eles os chocolates, recusava. Não comia, não comia. Queria, mas não conseguia. Atribuíram ao Alzheimer, eu insistia que o desejo estava ali, ele só não conseguia. Em vão.

Foi internado novamente. Não sairia com vida. Eu não sabia, meus irmãos e minha mãe não sabiam, ele também não. Em algum lugar sabemos, mas tem um lugar dentro da gente que ama tanto que nunca sabe. É assim que é.

Minha mãe não se despediu, ele morreu numa sexta e a visita seria permitida no domingo seguinte, ele não conseguiu esperar. Nas suas confusões não esqueceu nosso nome e como éramos. Na quarta-feira perguntou por que minha mãe não estava em casa (durante a internação, em que estávamos ao lado dele, sempre achou que estava em sua casa), falou com ela por telefone tentando entender onde ela estava. Pediu que eu colocasse uma cadeira na calçada, queria prosear com os passantes, pediu a rede (amava rede), culpei o sol quente. A rede e a prosa devem estar acontecendo num lugar muito lindo.

Anne, o vestibular, o sonho da medicina. Porto Alegre, dezembro de 2011, primeira vez que voava. Uma bactéria viajava com ela, a mãe regressa sem a filha. A filha voa, acompanhada de todo esse amor, para o infinito, lá onde uma mãe não alcança, lá onde uma mãe se adapta, mas talvez não tenha que aceitar.

A dor é tanta que os cômodos da casa precisam de tempo para o retorno. A mãe fica em minha casa, pede que eu desarrume o quarto da filha antes de lidar com todos os lugares em que Anne está. Lembretes pelo quarto todo, memórias das matérias do vestibular, perfume aguardando o uso, um esmalte que chora. Um gato que arranha a porta pedindo a dona. Nasce o Laços e Lutos, um jeito de contar que jamais encontrarei uma dor parecida, um jeito de acolher tantas outras dores.

A despedida de Anne me contou que a morte interrompe, retira, traz afundamentos. Com ela aprendi sobre forças inimagináveis que habitam o coração de uma mãe. O inusitado, o mundo dela esperando, sem volta. É assim que é.

Meu pai partiu em 11 de setembro de 2020, data inesquecível por tudo que carrega. Desde então, tenho procurado por ele, preciso que ele fique, não saberia viver sem ele, não quero viver sem ele. Essa não é uma briga com a morte, eu a recebi com todos os desassossegos que ela traz. E ela traz.

Nesse processo, tem dias que espero ele entrar e vasculhar os potes de chocolate, quieto e sorrindo. Me esqueço que não chegará da forma que chegava. Chegará no amor que fica. Descobrir partes dele em mim é um conforto.

A saudade é um vaivém, você lida com a partida arrumando uma chegada. Tem dias que aperta, saudade da voz, do olhar, dos passos, da prosa sem finalidade. Saudade de quem eu era ao lado dele. Nos dias em que aperta eu arrumo o cômodo para que ele chegue, quieta, sozinha, e ele entra. Ali, passeamos por todos os lugares onde estivemos — a mão nos meus cabelos enquanto conversava com alguém, as balas que trazia das viagens, as histórias que repetia e repetia de seu pai, o amor por minha mãe, a atração por programas que falavam do trágico, o amor pelo Chaves e pelo Mazzaropi.

Tem dias em que ela é mais suave, um passarinho cantando num final de tarde é suficiente para que esses amores se acheguem e a gente se encontre. São encontros sem palavras ditas, são encontros que dispensam falas.

No desassossego, há estranhamentos. Tem dias que fico perguntando aos meus mortos: "Onde vocês estão? O que estão fazendo aí?"

Minha mãe e o abraço que sumiu, minha mãe e seus tantos lugares vagos, uma dor de alguém que viveu mais de sessenta anos com esse amor e se esqueceu dos dezessete em que não o conhecia. Minha mãe e o buraco no peito. Dia desses ela me disse que sentia uma saudade que era imensa, ardia, me perguntou se isso acabava...

Minha cunhada e esse buraco, imenso, da falta de continuidade, da promessa do futuro... Nas conversas com a saudade tenho compreendido que o único jeito de "suportar" a morte é não permitir o sumiço, que acontece quando inibem nossa fala sobre nossos mortos. Se o amor mora na memória, como dispensá-la?

Como conviver melhor com a morte e seus desassossegos? Buscando a menina com a flor no cabelo e vestido rosa, buscando o pai que sorri com os olhos. Não permitindo o sumiço. Quem amamos merece e deve ficar. O dia em que eu não puder dar vida aos meus mortos, possivelmente muitas partes em meu coração estarão mortas. Eu e meu pai estamos no mar, Anne me acena com a flor no cabelo, para sempre...

Para meu pai

Nos finais de tarde, sem procurar explicações, espero passos pela casa. Você fala das coisas do mundo, ri do meu jeito e concorda sem concordar, porque assim o amor acontece mais fácil. Depois, pergunta se eu quero café, senta e me oferece todos os habitantes da sua geladeira. Nos finais de tarde, sem querer ouvir explicações que fogem dos sentidos do coração, espero sua chegada, sempre, e você chega...

Pai, faltou você nas fotografias e você continuava lá, cada vez que tirávamos uma foto eu imaginava em que lugar você estaria. Faltou você na prosa da cozinha e você continuava lá, cada vez que pensávamos o que diria. Faltou você diante dos meus olhos e você continuava lá, cada vez que eu te via, fosse do jeito que fosse. Faltou te ver entrando pela porta — bobagem, você nunca saiu daqui.

Pai, me ajuda a lidar com o olhar que some, a fala que silencia, a risada gostosa que vai morar no meu coração. Só tenho gratidão, só gratidão.

Para Anne

Era dezembro, mês em que paira uma nostalgia estranha junto com uma vontade louca de prometer paz para o ano que se aproxima, era para ser mais um dezembro com todas aquelas promessas que aguardam nascimento ou ternura. Tinha uma roupa nova no armário, a etiqueta confirmava o desejo de inaugurar o novo, aguardava um retorno que não aconteceu. Na despedida conhecemos o descontrole, a dor, o vazio e a saudade.

Tinha um desejo imenso de congelar a vida, o relógio e as horas, era para ser um vestibular, depois um passeio e, depois, o uso da roupa nova.

Descobrimos que o tempo passando fica tonto, como se tudo ao nosso redor sofresse de uma tristeza que dirige mal nossas pernas e as portas do mundo se estreitassem. O tempo passando virou silêncio misturado com barulho, a gente não aguentava nem um nem outro, não havia estação que desse jeito no que não tinha jeito, cama desarrumada que não trazia sono, comida que não trazia fome.

Tinha uma roupa no armário te esperando e a única certeza no meio disso tudo era que jamais eu poderia medir a dor da sua mãe, ela andava de um lado pro outro, brigava com a cama, falava com Deus e chorava e, no meio disso tudo, te chamava, desacreditando no vazio dos dias que viriam. A dor intensa vem assim, a gente acorda e pensa que o acontecido não aconteceu.

Meu amor, os dias seguindo me pediam pra achar o que aprender nisso tudo... aprendi com sua mãe sobre esse amor imenso, que atravessa o céu e a lua, que chega na brisa, no passarinho que canta no final de tarde, no latido distante de um cachorro ou, simplesmente, no silêncio de amanhecer e anoitecer com um filho que já não está, criando jeitos de ele continuar por aqui. Sua mãe me contou da saudade que vira uma oração e um lugar de encontro cotidiano, do direito de lembrar e falar de você — sim, ter uma relação boa com a dor e a saudade só pode acontecer quando o amor continua na memória. Te envio a nossa promessa de você existir nas prateleiras das nossas estantes e da nossa alma, na voz que cala e fala, nas histórias que passeiam em nosso coração, no aceno de mão que se perdeu no entardecer, nos sonhos que viraram brisa, no amor que abraça o mundo.

Tinha uma roupa nova no armário, ela foi trocada, um jeito de dizer que era só sua e não caberia essa inauguração em nenhum outro lugar.

(Com amor, ao meu pai, à Anne e a todos os meus mortos, que tenham paz onde estiverem, com nossa promessa de sentir saudades para que fiquem sempre por aqui...)

Um dedo de prosa com a morte vira braço que busca o abraço

Karina Okajima Fukumitsu

> *Não existe agonia maior do que guardar uma*
> *história não contada dentro de você*
> Maya Angelou[1]

Segundo o Dicionário inFormal, o significado de "dedo de prosa" é "conversa rápida e informal, normalmente amistosa"[2]. Era assim que eu me comportava diante da morte e do morrer do outro.

Queria conversa rápida, de preferência sem envolvimento nem relação estreita, com o intuito de não me demorar tanto na companhia dela. Sendo assim, houve um tempo em que eu me autorizava apenas a ter um dedo de prosa com a morte, porque queria mesmo era escapar dela. Mas a vida proporcionou o contrário do que eu esperava e começou a arrombar minha morada existencial com uma fúria assustadora; assim, a visita não desejável se tornou inquilina soberana, a ponto de eu me tornar estudiosa do assunto. Tornei-me pesquisadora de temas como morte, perdas, suicídio e luto. Em legítima defesa, criei a falsa ideia de que deveria me aprofundar nos estudos sobre a morte para ser poupada dessa visita indesejada. Assumindo o ditado "se não pode vencê-lo, junte-se a ele", tornei-me aliada dela. Nessa aliança, rememoro que a morte chegou em minha casa sempre de forma trágica.

Aos 3 anos de idade, veio em forma de fogo, no incêndio do Edifício Joelma em São Paulo, levando meu tio, irmão caçula de minha mãe. A partir dos meus 10 anos, chegou em forma de ioiô emocional, pois era companhia permanente das tentativas de suicídio de minha mãe. Morta existencialmente, desconectada da vida e da gente, ela não demonstrava contentamento com a vida. Mulher alegre, generosa, preocupada com as questões sociais, voluntária de ONGs, sua elegância era evidente. Matriarca que direcionava tudo, de dirigir um automóvel a cozinhar deliciosamente. Anfitriã exímia que recebia em casa os clientes do meu pai. Pianista, soprano e professora de música, artesã, pintora que se perdeu de si e flertou com a morte. De tantas vezes que vivi as "mortes" dela, com frequência imaginava que a morte acontecia de mentirinha e que minha mãe não morreria. No entanto, quando sua morte de fato chegou, no dia 12 de fevereiro de 2013, as madrugadas insones se tonaram minhas companheiras e as lágrimas, meus canais de comunicação com o mundo.

Quando a morte arrombou minha morada existencial

Nunca contei em profundidade a história da morte mais surreal que chegou em minha casa. Essa é a morte que não consigo engolir e, por isso, ainda não havia compartilhado em nenhum de meus textos da forma detalhada como farei aqui.

Não por acaso, tive grande dificuldade de finalizar minha escrita, que demorou muito comparada às outras produções. A demora é justificada, porque percebi que precisava dos *momentos e lugares possíveis*. Nesse sentido, a promessa que fiz para mim de que um dia compartilharia minha dor imensurável em relação a essa morte recebe amorosamente tempo e espaço de fala e de escrita no aqui e agora. Tamanha foi a dificuldade enfrentada que, surpreendentemente, percebo que se passaram trinta anos.

A morte de Henry, de 3 anos de idade, na piscina da chácara foi memória guardada em um baú do esquecimento deliberado, pois acreditei que deveria adormecer a tragédia para poupar a mim e à minha família de maiores sofrimentos, crença reforçada pelo fato de minha irmã sempre dizer que não tem disponibilidade emocional para tratar dos assuntos com que trabalho: morte, suicídio e luto.

A estratégia do esquecimento fez que a dor não encontrasse lugar próprio para se comunicar. Por esse motivo, atrevo-me a não negar mais essa tragédia, que precisa se libertar da agonia para disponibilizar algum lugar para essa dor.

Como uma criança de apenas 3 anos pôde morrer, apesar dos olhos atentos de vários adultos que supostamente poderiam ter evitado a tragédia? Como eu fui dormir justamente quando meu sobrinho caiu na piscina? Por que não fui capaz de acordar para verificar o estranhamento do barulho das águas turbulentas? O que faço com minha culpa? O que faço com minha dor? São perguntas que me conduziram para lugares de impotência, de dores irreversíveis e de fragmentos perceptíveis.

Sobre os momentos e lugares possíveis

Para arrematar as considerações finais deste capítulo, aguardei até o último momento do prazo de 1º de maio de 2021, o feriado dedicado ao Dia do Trabalho, que Teresa e eu combinamos com os autores para que entregassem seus capítulos.

Primeiro de maio também é o dia em que celebro meu casamento. Comemoro hoje 22 anos desse enlace emocional que oferta sustento diário. Como acredito que nada seja por acaso, e depois de um ano de crise pandêmica, decidimos por voltar para a chácara. Estou aqui com meu marido, nosso filho e nossa filha, minha irmã, minha sobrinha Cybele e seu namorado. Encontro-me na frente da piscina onde tudo aconteceu e sinto que tenho prontidão emocional para mergulhar em minha dor e que estou cercada das pessoas necessárias para fazer esta travessia.

Construída pelos meus pais, a chácara foi cenário de muita desgraça e de desarmonia relacional. Este lugar representa o início do definhar existencial de minha mãe e local de máxima frustração dela por não ter usufruído do que construiu, pois, com o divórcio, a chácara ficou com meu pai. Este também foi o cenário aonde a morte chegou de forma catastrófica e arrombou nossa alma. Foi aqui que, em 1991, tudo aconteceu. Contemplando e rememorando os acontecimentos difíceis vivenciados neste local, concluo que existem momentos e lugares *possíveis*, e não momentos e lugares *certos*, para encarar nossas dores mais íntimas.

Ouço uma criança da casa do caseiro chorando e minha irmã brincando de bola com seu cachorro. Minha irmã grita: "Gol! Vem. Vem". E, quando o cão se aproxima, ela dá um abraço gostoso nele e sorri, dizendo: "Isso".

Ao testemunhar minha irmã brincando, eu, aos prantos, penso comigo: "Vai, querido cãozinho. Vai ao encontro de minha amada irmã para alegrar essa alma potente. Cuida de quem já cuidou muito de mim. Vai e leva paz para esse coração tão forte e admirável".

Eu daria de tudo e um pouco mais para retirar minha irmã de qualquer sofrimento. O amor que sinto por ela me faz pensar que estaria disposta a trocar de lugar com Henry para acolher a pessoa que mais me acolheu em minha existência inteira. Mas essa troca não é permitida no mundo dos vivos. Aprendi que a vida não é do jeito que a gente quer e descubro a cada dia que cada um carrega dentro de si fardo e privilégio – e que ninguém tem o direito de subestimar sua capacidade para gerenciar crises.

Testemunhei de perto uma dor sem nome, acompanhei o luto materno dela e me dei conta de que, se hoje ela sorri e brinca com seu cão, é porque já chorou muito e honrou a cada dia a existência de seu filho.

Meu lindo sobrinho morreu afogado na piscina que foi construída sem proteção nem grades. Assim também estavam nossas relações na família: sem proteção nem grades, e também sem o reconhecimento de limites.

Eu estava estudando e, às onze horas, senti um sono absurdo e resolvi tirar um cochilo. Ouvi um barulho de água batendo fortemente, pois meu quarto ficava diante da piscina, mas achei que Henry tivesse jogado um objeto nela. Infelizmente, não era um objeto, mas ele.

Acho que ele tentou lavar, na água da piscina, a mamadeira que caiu no chão quando ele estava com meu pai, meu cunhado e meu ex-namorado. Nunca saberemos sobre os momentos finais daquela amada criança que nos ofertou um sopro de alegria em tempos tão turbulentos.

Adormeci e acordei com um grito de desespero do meu cunhado, dizendo: "Não!"

O cachorro latia muito e se ouviram todos os gritos juntos. Gritos que relembro como se fosse hoje, assim como me lembro de cada um de nós fazendo respiração boca a boca em Henry. As lembranças vêm à tona: a saída da nossa casa e o caminho desesperado para o pronto-socorro; a falta de equipamentos do hospital e a necessidade de buscar atendimento em outra cidade. No carro, com meu ex--namorado dirigindo, gritávamos e fazíamos respiração boca a boca, na esperança de reavivar Henry. Mas ele chegou morto no hospital da outra cidade.

Culpa, autoacusação e falta de sentido foram as companheiras diárias e fizeram parte de mim desde que a morte de Henry chegou em minha casa.

O barulho das águas se mexendo ecoou durante muito tempo em meus ouvidos. Barulho atordoante. Não podia mais ouvir o barulho de água em movimento, pois sempre me lembrava daquela cena que exigi ter visto. Não me sentia mais segura para entrar no mar, pois tinha a sensação de não sentir o chão. Não podia mais viajar e deixar a louça e as roupas no tanque, em molho, para lavar depois, pois quando voltei para São Paulo, escoltando o carro da funerária durante duas horas e meia, ao entrar em minha casa, tentei lavar a louça e a roupa, mas desmaiei.

Apaguei, e a sensação era de que precisava apagar minha mente, de que não poderia nunca mais entrar em contato com a água. A água matou meu sobrinho. Prometi que nunca mais sairia de casa deixando nem roupa nem louça sujas. Foi o início da tentativa de controlar tudo por meio de uma exaustiva obrigatoriedade de deixar tudo limpo para evitar tragédias, imaginação que me aprisionou durante muito tempo, pois me tornei obsessiva por limpeza, por me manter sempre atenta e vigilante, sem conseguir dormir nem descansar. Criei um cenário mais tenso, o qual tornou minha existência mais pesada do que já estava sendo.

Trinta anos se passaram e esse cenário está completamente modificado. Depois da morte de Henry, Cybele nasceu e veio para nos alegrar com sua existência. Representou mais um sopro de esperança naquela fase tão turbulenta de minha vida. Depois da morte dele, a piscina foi reformada, foram colocadas pilastras ao seu redor, minha mãe foi proibida de vir para a chácara, terminei meu namoro, meu pai se casou novamente e constituiu outra família.

Olho novamente para a piscina e noto que, em virtude de um vazamento, o nível da água está baixo. Talvez se o acidente tivesse acontecido hoje, criança nenhuma se afogaria, primeiro porque não existem mais crianças na minha família e segundo porque hoje tudo parece completamente seguro com as pilastras construídas ao seu redor. Construímos também pilastras emocionais para sobreviver.

Foi somente anos mais tarde que desenvolvi clareza e lucidez para olhar para minha dor e para a dor de minha irmã. Tina sempre foi minha parceira de estrada existencial, referência de força e de fé, mulher que admiro e que muitas vezes foi meu porto seguro para lidar com uma existência perturbada pelos conflitos entre nossos pais. Enquanto escrevo, contemplo minha irmã cuidando da organização da casa, arrumando-se para jantar, e agradeço baixinho por me sentir feliz por estarmos nós duas juntas, com nossas famílias construídas, nossos filhos crescidos. Agradeço por estarmos vivas e não apenas com sobrevida.

A morte surreal de Henry fez que eu vivesse a única certeza da vida com tanta intensidade que percebi que não conseguimos evitá-la, mas podemos enfrentá-la.

E a morte continuou a chegar na minha casa

Em 1993, a morte apareceu na forma de acidente de carro, seques-trando minha melhor amiga de faculdade, que me ajudara demais com o luto da morte de Henry. Maria Lucia de Oliveira havia prome-tido que assistiria a um trabalho que eu apresentaria sobre a psicolo-gia da morte. Na verdade, foi ela quem apresentou o trabalho por mim, por meio de sua morte. Teoria e prática se articulando em vida.

A morte, soberana magistral, me deu uma trégua durante onze anos, pois não me furtou ninguém nesse período. Mas, em 2004, tive um aborto espontâneo e fui obrigada a conviver com a morte concre-tamente em minhas entranhas.

Meu ventre carregou, durante duas semanas, um feto morto. Sentia-me em processo de putrefação, morta por dentro e por fora. Nesse momento da partida do meu filho, minha mãe afirmou que não tentaria mais se matar, pois disse, após a curetagem, que seria minha parceira na prevenção ao suicídio.

Sinto que a morte do meu filho auxiliou no resgate da vida de minha mãe. Esse foi um momento paradoxal em que vi morte e vida entrelaçadas. Depois do aborto, interessei-me cada vez mais pelos es-tudos sobre o processo de luto, mais especificamente pelo luto por suicídio e posvenção. Ingressei no doutorado para estudar o processo de luto do filho da pessoa que morreu por suicídio (2009-2013) e pouco menos de dois meses antes da minha defesa da tese o ioiô emocional do luto antecipatório de praticamente uma vida inteira findou com a morte de minha mãe, em 12 de fevereiro de 2013. Eu, que entrei no doutorado pela morte de meu filho, lidei com o luto no papel de filha. Tornei-me órfã...

O braço de prosa que busca o abraço

No ano seguinte, em 2014, a morte entrou novamente de forma avas-saladora. Ameaçou minha existência quando fui acometida por encefalomielite aguda disseminada (Adem na sigla em inglês), uma inflamação cerebral.

Durante o adoecimento e convalescimento, sentia-me jogando um jogo sem nome cujo prêmio era a minha própria vida. Venci a doença, meus medos de não deixar história nem legado. Mas, em todo esse processo de busca de cura, o "dedo de prosa" começou a virar "braço de prosa", sobretudo quando entendi que ela veio, bateu em minha porta e eu fiz questão de conversar com ela sobre meus propósitos de vida. A prosa com minha morte foi um recurso para reavivar, resgatar minha existência em plenitude e incluir mais vida em minha vida.

Quando a morte chega em nossa casa, ela vem sem piedade e sem pedir licença. Não adianta barganhar, querer trocar de lugar; o único remédio para a alma é encontrar compaixão para iniciar uma travessia sem fim. É preciso mergulhar em abismo sem ter a noção dos contornos e da profundidade.

É o início do processo de luto que vem como a única resposta que cada ser humano pode ofertar. Nesse sentido, entendo que a dor é, ao mesmo tempo, o que nos dilacera e o que nos impulsiona para sair do calabouço existencial onde fomos atirados em virtude da morte.

Quando a morte chega em casa, provoca silêncio que cala a alma da pessoa em luto. O silêncio emudece e, ao mesmo tempo, diz muito. Talvez porque seja uma das únicas respostas para a falta de explicações. Aliás, a morte não deve explicações nem satisfações. Ela acontece, pois é a única certeza da vida.

Quando a morte chega, o luto vem como acompanhante para nos assegurar de que não estaremos sozinhos nessa travessia árdua. Enquanto a morte é a mãe, o luto é o filho.

Depois de sete anos recuperada do meu adoecimento autoimune, trabalho com a conquista do bem-estar e a ampliação da saúde mental e existencial, e incentivo as pessoas a buscar o que lhes é significativo.

Quando a morte chega em casa

Finalizo este capítulo com a compreensão de que, quando a morte chega em casa, ela é lembrete sobre o valor da vida, sobre a necessidade de aperfeiçoamento de quem somos e do desenvolvimento espiritual. É também convite para o resgate da nossa missão existencial. A morte não é inimiga a ser combatida, mas é compreensível querer eliminá-la antes de nos sentirmos eliminados.

O desejo onipotente de combater a morte faz parte do instinto de defesa para não sofrermos mais. Todas as vezes em que quisermos controlar o incontrolável, perderemos as batalhas. A fantasia é necessária quando a dor é grande; porém, a distopia é a ilusão de que podemos evitar a morte. Nessa direção, a guerra travada contra a morte é briga perdida, como no filme *O sétimo selo*, de Ingrid Bergman – no qual o personagem joga xadrez com a morte e conversa com ela tentando barganhar sua finitude. Trata-se de fantasia que não se tornará realidade e, por esse motivo, é preciso ter consciência de que nunca seremos atendidos na súplica de ser poupados da morte de quem amamos. Ao mesmo tempo, a súplica pode ser direcionada para que as tramas da dor não sejam caladas.

Que possamos despertar os ouvidos para a impotência, reverenciar as histórias de quem partiu, acolher os dramas existenciais que a morte provoca e desenvolver o colo necessário para preservar o amor que se manterá vivo dentro de nós.

Notas

1. Citada por Djamila Ribeiro na apresentação de *Eu sei porque o pássaro canta na gaiola*, de Maya Angelou (Bauru: Astral Cultural, 2018).
2. *Um dedo de prosa*. In: inFormal, Dicionário de português gratuito para internet. São Paulo, 2006-2021. Disponível em: <https://www.dicionarioinformal. com.br/significado/um dedo de prosa/2822/>. Acesso em: 1º maio 2021.

Pequeno poema de dor

Maria das Graças Mota Cruz de Assis Figueiredo

E ele foi deixando os seus passos
Impressos na areia.
Foi caminhando lentamente
Até quase desaparecer
Numa curva do caminho.
Quando ele partiu
Não olhou para trás
E nem se voltou,
Ou teria visto que eu não podia ficar.
Eu passara a seguir
Ao seu lado
Eternamente.

Eu me casei duas vezes.

O primeiro casamento foi aquele da juventude, cheio de sonhos e fantasias que não sobreviveram à luz crua da realidade. Mas ele me deu os filhos que tenho, e depois as noras, os netos e o bisneto. Cumpri minha tarefa na corrida de revezamento que a vida nos pede e faço parte da eternidade dela.

O segundo casamento foi o da maturidade.

Eu tinha 57 anos, ele 81.

Foi amor à primeira vista, acreditam? Coisa de adolescentes, talvez...

Somos ambos médicos e atuamos na mesma especialidade. Era fatal, então, que nos encontrássemos. Aliás, eu já sabia dele (quem não o conhecia, um dos pioneiros no Brasil?), mas nunca o vira. Tinha, é claro, muita curiosidade.

Um dia eu o vi entrando num grande salão onde eu e outros profissionais escrevíamos um manual (que, depois de pronto, ele prefaciou, e aí já éramos casados).

O acaso apronta dessas, às vezes. Do nada, de súbito, sem aviso, e a sua vida nunca mais volta a ser a mesma. No amor e na morte, aliás.

Nossos primeiros tempos foram cheios de poesia, de doçura, de mãos suaves se tocando e olhares cúmplices. Como é bom sentir saltar o coração, rir do nada, parar no meio de uma frase pra sorrir...

Ambos tínhamos uma certeza inabalável: éramos amantes de outras vidas que se reencontravam, vida após vida. Aliás, temos algumas combinações que nos ajudarão a ficar juntos na próxima vez, e nas próximas.

Nós tínhamos pouco tempo, e sabíamos disso. Então nos apressamos em nos casar em poucos dias.

Combinamos que nada seria mais importante do que o nosso casamento, e que todas as nossas atividades, os nossos projetos, tudo se submeteria ao casamento. Tudo que roubasse tempo seria descontinuado, e assim fizemos.

Nunca mais viajamos sozinhos (à exceção de uma só vez, justamente o dia em que ele teve o derrame que o levou). Mesmo que só um de nós fosse convidado a dar a palestra ou o curso em qualquer parte do Brasil, fazíamos de conta que estávamos em férias.

Cada viagem dessas deixava o seu legado, na memória e na casa. Nós dois adorávamos garimpar os lugares e trazer objetos como lembrança. Ímãs de geladeira sempre foram a minha paixão, e a minha cozinha é o roteiro de viagem mais gostoso de se ver.

Aos domingos, nós dois cozinhávamos. Ou melhor: eu cozinhava e ele me pedia para ensiná-lo. Nunca passou da etapa de picar os temperos. Não era a praia dele. Mas ficava comigo, conversando e tomando vinho.

Ah, os vinhos... foi ele quem me seduziu para esse mundo glamoroso. Ele conhecia as safras, o melhor ano de cada uma, os aromas. Mas não era nem um pouco esnobe; tinha um gosto bem eclético.

Guardo até hoje os cadernos onde ele colava os rótulos, anotava o dia em que aquele vinho foi tomado e a apreciação dele.

Quando íamos ao sul do país, ele adorava visitar as vinícolas pequenas e encomendar caixas dos vinhos de que gostava. Era divertido esperar pela entrega, dias depois, já em casa.

Tenho ainda na boca o sabor de um vinho em especial, da Casa Valduga: Duetto. Tomávamos muito dele quando chegávamos aos hotéis no Sul; geralmente guardávamos as malas e descíamos imediatamente para a primeira garrafa. Nunca mais tomei um Duetto desde a morte dele.

Moramos em primeiro lugar numa casa que construímos num condomínio na Granja Viana, próximo de São Paulo.

Compramos o terreno que ele escolheu, e que tinha, bem no centro, um abacateiro centenário, que produzia um exagero de abacates doces como mel. Como ele queria a casa bem embaixo da árvore, precisamos de dois telhados: um de laje e, sobre ele, o de telhas. Tínhamos um estoque de telhas de reposição no depósito, que depressa se acabava porque o caseiro substituía uma média de dez telhas por semana na safra de abacates.

É claro que a casa se chamava "Solar do Abacateiro", gravado numa peça de madeira de lei na entrada, sobre o portão. Hoje a peça fica no jardim da entrada de casa.

Aliás, na minha casa de hoje, construída depois que ele morreu, plantei alguns abacateiros. Num deles, mais no alto do terreno, construí um banco redondo de concreto em volta das raízes, coberto de hera. Na terra onde a árvore cresce espalhei as suas cinzas. Assim, ele continua morando embaixo de um abacateiro, como queria.

Em 2009, viemos para Itajubá, Minas Gerais.

Ele estava exultante com a mudança de ares, de cidade, de trabalho. De fato, passado algum tempo ele dizia aos amigos: "Eu sou o mais novo itajubense de nascença". Eu estava mais recolhida nas minhas efusões. A Granja Viana é até hoje o lugar que guarda o meu coração, mas me encantava ver a sua alegria.

Morávamos num belo lugar, na cidade (ele não queria mais dirigir nem depender de mim ou de motorista para andar pela cidade, o que de fato fazia constantemente, para ver os doentes em domicílio ou comprar o jornal). De lá, íamos quase todas as noites a algum barzinho, a um restaurante, ou até mesmo nos sentávamos num banco no jardim central da cidade. Sempre passava alguém que parava para um dedo de prosa, como é costume aqui em Minas.

Às vezes ficávamos no terraço de casa, meio escondidos pelas plantas, tomando vinho e beliscando tudo que é gostoso e pouco saudável. Eu adorava essas noites.

Visto agora, à distância de oito anos, tudo me parece quase mágico, envolto por uma atmosfera de sonho, banhado por uma luz suave que faz jogos delicados de sombra e luz. É a melhor descrição que encontro para esse tempo.

A dor das lembranças já se tornou nostalgia, mas há momentos em que o choro ácido dos primeiros tempos irrompe sem pedir licença e me atira de novo no tormento da saudade que machuca. Nesses dias, nada me consola.

Foi numa quinta-feira de fevereiro do ano de 2013 a única vez em que ele viajou sozinho, e foi para São Paulo. Voltaria no dia seguinte.

Exatamente às 18h10 minha secretária bateu à porta do meu consultório. Eu havia entrado com a última paciente do dia e, pela urgência das batidas, imaginei que algo ruim deveria ter acontecido. Meu filho me pedia que esperasse alguns minutos por ele, porque teríamos de ir a São Paulo. "Marco teve um derrame".

Foi a segunda vez que o tempo parou em volta da imagem dele (a primeira foi quando me apaixonei). Cada detalhe desse intervalo se congelou na alma e no coração, mais do que na memória.

Fui buscá-lo nessa noite e o trouxe para Itajubá no dia seguinte. Tentei levá-lo para a nossa casa, que é onde ele queria morrer, mas primeiro eu precisava preparar a casa para recebê-lo. Ele foi, então, para o Hospital Escola, onde todos o conheciam.

Ele ficou vivo ainda por treze dias. Treze sempre foi o seu número de sorte, era o que ele sempre dizia.

Foi pouco, muito pouco tempo, mas ao menos eu pude cantar para ele, os amigos e os alunos vieram vê-lo muitas vezes, meus filhos ficaram com ele todo o tempo.

Gosto de pensar que ele teve tudo que sempre quis na morte. Teve paz, teve um amor infinito a rodeá-lo, foi respeitado nos seus desejos, pôde despedir-se com calma de todos a quem amou.

Mas eu… passado tanto tempo, ainda não sei responder à pergunta que todos me faziam e ainda fazem: "Como vai você?" Bem eu não estou, nem estarei outra vez. Mal também não estou: tenho o meu trabalho, que adoro, meus filhos e noras e netos e bisneto à minha volta, moro onde quero, no meio do mato. Mal, definitivamente não estou.

A resposta que me parece mais verdadeira, desde lá e até hoje, é o que vi acontecer na minha cozinha, poucos dias antes de vender o apartamento.

Ela é grande, e tinha duas lâmpadas que lhe davam um ar muito alegre. Sei lá por que, mas os amigos sempre diziam isso. Deve ser porque, para o mineiro, a cozinha é o lugar mais amoroso e mais acolhedor da casa.

Uma das lâmpadas se queimou e, uma noite, quando entrei na cozinha, vi que ainda se podia fazer o que se quisesse nela, mas ela havia perdido o brilho.

Assim sou eu desde 20 de fevereiro de 2013…

Como aprender a dizer adeus

Miguel Angelo Boarati

Nascemos com a dura missão de passar por uma vida permeada por desafios, mas o principal deles é lidar com a morte. Viver é muito bom; mesmo quando estamos lidando com percalços em momentos difíceis, eles valem como aprendizado. Isso acontece a cada dia ao despertar, no abrir dos olhos e dar-se conta de estar vivo.

Entretanto, desde a tenra infância, precisamos lidar com a morte, o fim daquilo que nos é certo. Por mais que nos apeguemos às crenças, a única certeza é a de que morreremos, o resto é especulação. Lidar com a própria morte é particular e único, mas pouco pensamos nisso. É melhor deixar para depois, afinal só os velhos morrem e nós estamos jovens. Ledo engano, que fica patente quando experimentamos a morte de alguém na infância.

Lembro-me como se fosse ontem a primeira vez que descobri que a morte acontecia em qualquer idade. Aos 10 anos perdi um coleguinha de classe, o Claudio, vitimado pela leucemia – que, na época, poucas chances dava ao seu portador, uma vez que os tratamentos quimioterápicos e os transplantes de medula ainda estavam engatinhando. Ele foi enterrado em um cemitério que ficava no alto de um morro, facilmente visível para quem atravessava a cidade onde eu vivia. Diziam que os cemitérios ficavam em locais altos para que pudéssemos sempre lembrar da finitude da vida. Recentemente, após quarenta anos, passei nesse cemitério para visitar o túmulo de uma querida amiga e fiquei na esperança de que pudesse lembrar onde o Claudio foi enterrado. Mas se passaram tantos anos, tantos já estavam lá, que foi impossível sequer suspeitar onde ficava o seu túmulo. Porém, enquanto caminhava pelas lápides fui tomado por uma forte reflexão ao ver a de uma jovem, nascida três anos após a morte do Claudio e falecida fazia uns dois anos. Ela viveu uns trinta e poucos anos, deve ter terminado os estudos, talvez se casado, mas com certeza amou e foi amada, teve sonhos, realizou alguns, outros não. No intervalo entre minha primeira e segunda visita àquele cemitério, essa moça viveu toda a sua existência.

Desde muito cedo tive um certo fascínio pela morte. Não pela morte em si, mas por aquilo que ela significava para cada um de nós. Ela é especial e única para cada ser que habita a Terra. Ela é parte da vida e não é possível conceber a vida sem a morte. Atores e atrizes que imortalizaram sua arte em novelas e filmes, cantores que cantaram com a alma a dor humana, atletas que encheram nosso coração de orgulho por sermos brasileiros. Todos eles causaram comoção quando morreram. Quem não sofreu com a morte de Elis Regina, Lilian Lemmertz, Cazuza, Renato Russo, Ayrton Senna ou Janete Clair? Sempre ficamos um pouco órfãos quando esses ídolos que amamos partem deixando um vazio em nós.

Na medida em que crescemos é que conseguimos entender um pouco o que é a morte, mas somente quando ela chega para alguém próximo é que realmente temos toda a sua dimensão.

Sempre que alguém importante para nós parte e todo o cerimonial de partida é realizado, lidamos com o sentimento de que "para sempre" não teremos mais essa pessoa entre nós. Nem por um segundo voltaremos a ver, ouvir ou tocar essa pessoa que representa para nós muito do que somos.

Felizmente para mim essa experiência não foi tão precoce, pelo menos enquanto eu era criança.

Aos 12 anos, perdi um tio-avô querido que sempre nos dava dinheiro para comprar doces. Ele marcou muito a minha vida, do meu irmão e do meu primo. Todos os dias em que o encontrávamos, já pedíamos um cruzeiro e corríamos para o bar do seu Adelino (vulgo Sodelino) para comprar paçoca, pé de moleque e o suspirão colorido. O tio Pascoalino era doce, afetivo, amava os bichos e tinha um

Quando a morte chega em casa

carinho especial pelas crianças. Tocava na banda da praça o seu trombone, e tinha o bolso sempre cheio de balas. Porém, quando ele morreu, não me lembro de ter ficado triste, pois ele era velhinho e nessa época já entendíamos que a morte chegava para eles e estava distante de nós, jovens.

Assim, caminhei anos da minha vida sem experimentar novamente a partida de alguém.

Tornar-me médico trouxe a morte para perto de mim. Mas as escolas médicas não ensinam a lidar com a morte; ao contrário, vendem a ideia de que ela é um mal a ser combatido. "Estamos aqui para salvar vidas" — essa frase é exaustivamente martelada em nossa mente nas aulas práticas, nos ambulatórios e nos plantões de emergência durante todo o curso médico. Quando um paciente morre, sentimo-nos derrotados como se fosse uma derrota pessoal, independentemente do esforço que tenhamos feito como profissionais e como seres humanos para tentar nos contrapor a essa realidade. Se, ao contrário, pudéssemos ser treinados para cuidar da vida e respeitar a morte, talvez nos tornássemos melhores pessoas e profissionais.

Por fim, a primeira vez que senti a morte me atingindo profundamente foi quando meu avô paterno, João, morreu de súbito. Eu já era adulto, médico formado, e conhecia todas as verdades científicas ligadas à morte. Vinha tentando me preparar para a partida de meus avós, pois grande parte dos amigos de minha geração já não tinha seus avós, alguns nem sequer os havia conhecido. Explicações racionais estavam todas prontas para lidar com aquele momento.

Meu avô era uma pessoa extremamente intensa, tanto no aspecto positivo como no negativo. Amoroso, explosivo, afetivo, ciumento, possessivo. Tudo junto e misturado. Tinha um enorme senso de justiça e de responsabilidade social, mas quando se sentia rejeitado por qualquer razão, caía em profunda depressão e ira. Quando se desentendia com alguém, perdia o controle e agia de maneira muito agressiva, um verdadeiro vulcão em erupção. Mas quando a tempestade afetiva passava, vinham o arrependimento cruel e as consequências dos estragos feitos na relação. Meu avô colecionou muitos rompimentos que o faziam sofrer, pois não era possível reparar o dano emocional que ele provocava no outro.

Uma pessoa de personalidade tão marcante não poderia partir sem que houvesse uma mobilização semelhante em quem o cercava, principalmente em mim, que vivi muitos anos próximo a ele. Uma longa cerimônia fúnebre atravessou a noite. Histórias de sua trajetória de vida, dos inúmeros sapatos consertados (ele era sapateiro e tinha um enorme orgulho da profissão), as cestas básicas recolhidas para dar aos pobres e as vezes em que ele brigava com esses mesmos pobres quando se acomodavam naquela condição passiva. Tudo que dizia respeito ao seu João era motivo de muita conversa, risada e irritação.

Durante grande parte da cerimônia, nada me lembrava tristeza ou angústia. A dor só emergiu no momento de realmente dizer adeus, fechar o caixão e seguir em frente. Ali ela veio pura, intensa, cortante. Não a dor da partida, mas a dor da certeza da finitude de todos nós, daqueles que chegam antes e partem e daqueles que chegam depois e partem também.

Comecei a questionar: para que viver, se todos morreríamos? Não importa fazer o certo ou o errado, lutar e vencer desafios, estudar, se formar, trabalhar e ganhar dinheiro, casar-se, ter filhos, comprar casas e viajar se, no final, todos morreremos e nada disso valerá.

Essa certeza já não estava na minha mente; naquele momento, ela atingiu a minha alma. Somente quando sentimos com a alma é verdadeiro.

A morte do meu avô me trouxe inúmeros ensinamentos. De que temos um tempo neste planeta, de que precisamos viver. De que devemos fazer este lugar melhor para todos os seres. De que desejar sem ter um propósito maior é perda de tempo e de energia.

Tudo o que valorizamos não tem nenhuma importância diante da morte. Aquilo que somos, que fizemos, que ganhamos ou perdemos, aquilo que sentimos, tudo isso fica para trás quando morremos.

Tentamos em vão nos apegar a crenças de continuidade após a morte, mas elas não nos ajudam se não tivermos feito nada de concreto nessa vida para tornar a nossa existência significativa, se não tivermos vivido para o outro e nos doado. Se não vivemos pelo que acreditamos, se não temos cuidado com o planeta e com todos os seres que aqui habitam, tudo se torna sem sentido.

Poder dizer adeus ao meu avô foi a experiência mais importante da minha vida. Entendi que cada dia vivido é uma bênção e uma oportunidade de criar e tornar a ser.

Eu, que sempre tive um interesse pela morte como algo a ser explicado, controlado e dominado, passei a perceber que é ela quem traz a possibilidade da vida, com ensinamentos e explicações. Ela é nossa mestra, por ensinar a importância da vida e do tempo em que estamos aqui.

A morte segue em paralelo à vida; dá a oportunidade de a vida existir e acontecer, para que não percamos tempo com aquilo que não acrescenta, que não agrega, que não constrói nem é essencial.

Com a morte do meu avô, também aprendi a lidar com outras formas de morte. Aquilo que chamamos de morte em vida. O fim de um relacionamento afetivo, de uma amizade, de um emprego ou de uma casa. A certeza de que tudo acaba e é assim mesmo que acontece.

Se pudéssemos nos apropriar dessa verdade, da finitude, de que o adeus vai acontecer mais cedo ou mais tarde, deixaríamos de perder tempo precioso com coisas que realmente não importam.

A música "Epitáfio", dos Titãs, reflete sobre aquilo que deixamos de fazer por não ter acreditado que a morte chegaria.

A certeza da morte nos traz a urgência de viver a vida no aqui e agora, sem futuro, pois só o hoje é real. A morte não está com a gente apenas no futuro, mas em qualquer momento, de diferentes formas. E essa certeza nos obriga a sair da nossa acomodada situação de procrastinar decisões importantes, rompimentos necessários, mudanças inevitáveis, de rever a todo momento nossas escolhas, nossas ações e suas consequências.

Enquanto crescemos, somos levados a acreditar que temos controle sobre situações, vontades, destinos ou pessoas. A morte nos mostra que não há controle sobre nada. Tudo o que acreditamos *ser* é só uma questão de *estar*, e poderá mudar de uma hora para outra.

Se vivêssemos com a clara certeza de que morreremos, aproveitaríamos melhor o dia, as oportunidades, os encontros, os momentos de solidão. Seríamos realmente felizes porque não buscaríamos uma felicidade falsa que se traveste de alegria, mas a felicidade que se conjuga com a serenidade. Aceitaríamos quem somos, buscaríamos desenvolver nosso potencial a partir da nossa essência e não de projeções que nos foram depositadas enquanto crescíamos.

A vida ganha outro sentido quando a morte assume o seu lugar e a sua importância. A vida se torna mais plena, única e cheia de possibilidades. A morte enobrece a vida, catalisa processos e fortalece a existência. Ela não é boa nem má: simplesmente é aquilo que define o fim de tudo o que está posto.

Tudo isso eu aprendi com a morte do meu avô. Depois dela, pude vivenciar a morte do meu pai, dos meus tios, dos demais avós e dos amigos com mais serenidade e entendimento.

A morte do meu avô me deu a possibilidade de aceitar minha própria morte.

Foi ela que me ensinou a dizer adeus.

O Doutor

Ana Lucia Coradazzi

Hoje, passados quase sete anos da morte do meu pai, as memórias já se confundem na minha mente e no meu coração. Às vezes, eu o vejo chegando em casa, já tarde da noite, a roupa branca amarrotada e a maleta preta que não saía das suas mãos. Era o único momento do dia em que eu e meus dois irmãos, todos ainda pequenos, podíamos vê-lo. Ele saía tão cedo que quase sempre ainda estávamos dormindo e, às vezes, não conseguíamos ficar acordados até ele chegar. A chegada dele em casa era para nós uma espécie de evento diário, e é surpreendente como a lembrança desses momentos tão corriqueiros invade meus pensamentos com a mesma intensidade de quando realmente aconteciam. O barulho do elevador parando no nosso andar. O tilintar da chave abrindo a porta. Os passos, propositadamente lentos, vindo pelo chão da cozinha. A nossa ansiedade, aguardando escondidos atrás da porta, prontos para pular sobre ele. Todos os dias era a mesma coisa, e todos os dias ele parecia ver no nosso abraço a recompensa pelo trabalho de um dia inteiro.

Outras vezes, o que me vem à memória é uma paciente dele de muitos anos, dona Lourdes, que ligava lá em casa para saber como estávamos, mandava presentes para todos nós, e até nos convidou para um almoço no seu apartamento num domingo. Lembro da vista da janela do apartamento dela, que dava para o antigo Minhocão, no centro de São Paulo, e do barulho ininterrupto dos carros que invadia a sala. Mas lembro mais ainda da sua alegria quando meu pai chegou para o almoço: os olhos emocionados, a mesa já posta, o cheiro da comida preparada com capricho. Ela já era idosa, as mãos não tinham muita firmeza, mas ela pegava nas mãos dele com uma devoção que eu só compreenderia muitos anos depois, quando tive as minhas mãos tomadas pelas mãos dos pacientes em sinal de gratidão.

Também não são poucas as vezes nas quais me lembro dos casos que ele contava, animado, na mesa de jantar, e que horrorizavam meu irmão (ele realmente detestava assuntos médicos). O que para o meu irmão eram contos de terror, para mim eram histórias incríveis. Eu podia ver meu pai vivenciando todas aquelas situações, às vezes engraçadas ou bizarras, outras vezes assustadoras, mas sempre impregnadas do orgulho que ele tinha de ser médico. Não seria exagero dizer que eram os momentos em que eu o via mais feliz, os olhos brilhando, a empolgação misturando-se com as palavras. Nas suas histórias, era impossível definir onde terminava o homem e onde começava o médico. Aliás, não apenas nas histórias: também era assim na vida. Meu pai se apresentava como Doutor Mário, cirurgião. Assim mesmo: o nome era só um detalhe entre a profissão e a especialidade. A medicina, na maior parte do tempo, era maior do que ele. Foi assistindo sua dedicação, ouvindo suas histórias e presenciando a gratidão dos seus pacientes que eu cresci, assim como cresceu em mim a vontade de também fazer parte da vida das pessoas. Sem ter consciência disso (ou talvez tendo plena consciência), meu pai construía em mim um legado que eu não poderia destruir, mesmo que assim eu quisesse. Ele parecia ser, sempre, o porto seguro de alguém. Inclusive o meu.

Quando ele adoeceu, eu já era adulta. Tinha me formado e terminado a residência médica, morava em outra cidade e nossas vidas agora não eram mais entrelaçadas, e sim paralelas. Ainda assim, um elo inexplicável nos unia. Era algo para além da relação entre pai e filha. Eu via nele o médico que eu gostaria de ser, e ele via em mim a médica que ele gostaria de ter sido. Agora era ele quem ouvia minhas histórias, minhas angústias, minhas proezas, e reconhecia nelas tudo que ele próprio tinha vivenciado. O médico que morava nele encontrava em mim alguém para quem deixar as vivências que lhe tinham sido tão valiosas. Eu era, talvez, seu legado vivo. Um câncer na traqueia definitivamente não estava nos planos dele, nem nos meus. Na verdade, não era apenas uma questão de mudança de planos. Estar doente, do lado de cá da mesa do consultório, era algo novo e desconfortável para ele, e seu jeito de lidar com a situação foi o de sempre: manter-se no controle.

Eu perguntava como estava indo a quimioterapia, ele respondia que não era nada demais. Eu perguntava sobre os efeitos colaterais da radioterapia, e ele reclamava mais do reembolso do convênio do que do tratamento em si. Eu o via cada vez mais magro, semana após semana, e sempre estava tudo bem. Foram quase cinquenta quilos perdidos (meu pai era obeso mórbido), mas a perda foi muito maior. Eu via algo se esvaindo do seu olhar. No começo era só físico: a perda do apetite e o desconforto para engolir se refletiam no corpo, cada vez mais leve, cada vez mais fraco. Com o tempo, passou a ser mais que isso. Os pequenos prazeres desapareciam pouco a pouco. A disposição não era a mesma. O interesse pelo mundo parecia menor. Ele insistia em continuar no consultório, mesmo que atendendo poucos pacientes, mas agora já não sei mais se era por amor à medicina ou por necessidade financeira. Eu não enxergava mais brilho em seu olhar. Quando a doença e o tratamento difícil lhe roubaram o controle da própria vida, roubaram também seu encantamento pela profissão. Mais fragilizado, desconfortável em grande parte do tempo, o papel de porto seguro já não lhe servia mais.

Ao final do tratamento, eu esperava vê-lo melhorar. A doença respondera bem, não havia mais sinais do câncer na traqueia. Ele não tinha mais queixas respiratórias, e os efeitos da quimioterapia e da radioterapia desapareceram com as semanas, mas meu pai não era mais a mesma pessoa. Não sei exatamente o que, em tudo que ele vivenciou, fez que sua chama se abrandasse. Talvez tenham sido as atitudes piedosas ou os olhares compassivos dos seus pacientes e das pessoas que conviviam com ele — meu pai não suportava ser alvo de piedade. Talvez tenha sido algum processo interior mais profundo, que o fez repensar o sentido da sua vida ou os legados que vinha deixando por aqui. Talvez tenha sido algum tipo de remorso, um medo inconfessável ou algum tipo de decepção consigo mesmo. Mas meu pai, o médico, não estava mais entre nós. Mesmo sem qualquer sinal de atividade do câncer, ele continuava se desconectando de nós aos poucos, num movimento de vai e volta, às vezes mais perto e às vezes tão surpreendentemente longe.

Pouco mais de um ano depois do término do tratamento oncológico, num sábado de manhã, minha mãe me ligou. Meu pai tinha tido uma noite meio agitada, tinha ido várias vezes até o banheiro, não sabia explicar direito o que estava sentindo. Foi então que ela ouviu a queda, seca, no chão azulejado. Ela correu, mas ele já tinha partido. Assim, de repente, sem aviso prévio. "Deve ter sido um infarto", alguém disse. "Pode ter tido uma embolia", disse um outro. Mas o fato é que meu pai tinha ido embora. Eu tinha perdido o pai, o médico e, sem dúvida, meu porto seguro.

Quando penso no processo pelo qual os pacientes com câncer avançado costumam passar, com tantos lutos ainda em vida, tantas perdas físicas, emocionais, sociais e financeiras, a morte súbita do meu pai chega a trazer algum alívio. Para o doutor, seria uma indignidade, até uma humilhação, precisar de ajuda para ir ao banheiro ou se alimentar, e uma partida rápida e sem a longa fase de dependência certamente seria sua opção, se ele pudesse ter escolhido. Não era questão de arrogância ou soberba: ele apenas não se encaixava no papel de ser cuidado. Não cabia nesse lugar. Mas a morte súbita, em última instância, o poupou de um novo processo de adoecimento que não sabíamos se de fato aconteceria um dia, e é quando penso nisso que meu coração mergulha em águas mais sombrias. Talvez os receios dele nunca se concretizassem. Talvez o câncer pudesse ter sido libertador, trazendo-o para mais perto de todos nós. Talvez a doença tivesse sido uma oportunidade de dissociar o homem do médico, de separar o pai do cirurgião. Mas quem disse que ele queria isso? Quando penso nele, em especial nas ausências que ele deixou em nossa vida, é impossível enxergar esses limites. Lembro-me dele quando alguém da família me telefona pedindo uma opinião sobre alguma questão de saúde. Lembro-me dele quando um paciente me oferece um almoço em sua casa. Lembro-me dele quando estou diante de um caso desafiador, bizarro ou engraçado. Era para ele que eu gostaria de contar essas coisas, era com ele que eu gostaria de compartilhar as muitas angústias e alegrias de exercer a medicina. Mas também me lembro dele quando me vejo fazendo um esforço consciente para fazer dos curtos momentos com minhas filhas os melhores possíveis, e lembro-me dele quando ensino a elas bons valores e as incentivo a enxergar o mundo para além do que lhes é apresentado. Contei com a sorte de ter alguém capaz de me orientar com a experiência de um bom médico e o zelo de um ótimo pai, tudo ao mesmo tempo. Ele estava sempre em serviço.

Agora, anos depois da sua partida, quando a saudade tomou o lugar da dor aguda e as lembranças da doença já são muito menores que as de toda nossa vida juntos, não existe mais em mim a busca de entender quem ele era, como se sentia, suas motivações ou suas prioridades. Não faz mais parte de mim a ansiedade para encontrar o significado da sua existência, compreender quanto dele ficou em mim ou quanto de mim se foi com ele. Nesse emaranhado de vivências e sentimentos, acabou ficando fácil definir quem era meu pai, porque ele mesmo já tinha feito isso muitas vezes: Doutor Mário, cirurgião.

A vida nas suas miudezas

Rafael Stein

Era sexta-feira e a consulta estava marcada para o final do dia. Fugir ou evitar o que estava sentindo não era uma alternativa. Fui obrigado a me relacionar com a morte. Escolhi não negar a realidade e abri espaço para vivenciar outros infinitos sentimentos: muito amor, conexão, intimidade, cumplicidade e pertencimento. Tive tempo de olhar para a minha esposa, para as crianças, para mim. Viver a morte me fez olhar a minha vida.

Fazia uns quinze dias que ela notara o caroço no seio esquerdo. Entre exames, biópsia, fobia de agulha e sedação, o tempo insistia em passar devagar. A única frase que me vinha à cabeça era a da médica que realizou a biópsia ao perguntarmos sobre a possibilidade de não ser um câncer: "Só por um milagre". Segurei a mão dela, eu queria dizer algo, eu queria um milagre, mas...

Naquela sexta-feira, nós éramos os últimos no consultório, não demoraram para nos chamar. Entramos e, enquanto aguardávamos o médico, chamaram a minha atenção imagens religiosas de um lado da sala, um bom sinal para quem esperava um milagre. Procurei por uma foto de família na mesa. Pensei na minha família e acreditei que tudo seria mais fácil se o médico também tivesse uma.

O médico entrou segurando um envelope branco, colocou-o sobre a mesa, apoiando nele as duas mãos. Começamos a conversar, ele perguntou se a Micaela tinha descendência judaica, por causa do sobrenome Stein — haveria uma questão genética na qual esses descendentes têm uma probabilidade maior de ser acometidos pela doença; vim a saber disso depois e com algumas pesquisas. Seguiu a conversa e, em determinado momento, Micaela interrompeu e perguntou qual era o resultado e se tínhamos um tumor: "Nós temos um tumor, temos um tumor, sim", respondeu o médico.

Vi minha esposa abaixar a cabeça sobre a mesa e chorar. Enquanto o médico falava sobre protocolos, quimioterapia, indicação de oncologista, me recordo de a Micaela perguntar se o cabelo ia cair. "Sim, vai cair", ele respondeu. O médico também perguntou se tínhamos filhos, se havia o desejo de termos mais, comentando sobre a possibilidade de congelar óvulos.

Eu ouvia tudo atento, os próximos passos e últimas recomendações. A última delas era para interromper imediatamente a amamentação do Francisco, então com 10 meses.

As crianças. Teria de cuidar delas, teria de cuidar dela. Como eu ia fazer isso?

Quando saímos da clínica, já era noite. Não havia estrelas no céu, naquela escuridão o futuro se apresentava sem avisar. "Nós temos um tumor, temos um tumor, sim", disse o médico. A frase que martelava a minha cabeça parecia ter ativado a programação de uma bomba-relógio. Em silêncio, caminhando até o carro, prestei atenção em minha esposa, ouvi o barulho que o sapato dela fazia ao tocar o chão, senti o cheiro do perfume que ela usava, o calor da mão dela. Enquanto caminhávamos, olhava-a, já não a reconhecia mais, já não me reconhecia. Ela falava sobre o diagnóstico que acabara de ouvir, sobre ser tão jovem, ter uma alimentação saudável, não fazer parte de nenhum grupo de risco e o que estava por vir. Não tínhamos ideia do que estava por vir.

Passei a olhar para um novo e desconhecido caminho. Quanto tempo eu ainda a teria ao meu lado? Eu não sabia o que dizer, não sabia como me portar diante dela. Foi ela que me trouxe de volta ao presente, dizendo que precisávamos falar com as crianças. Maria Clara completaria 6 anos em menos de dez dias e Francisco tinha apenas 10 meses.

Seguimos para casa e o silêncio que nos acompanhava abriu a porta para todos os sons que viriam, hoje eu sei.

Quando a morte chega em casa

Ao chegarmos, a Micaela entrou e foi direto até nossa filha, que brincava no tapete da sala. Abaixou, olhou nos olhos da Maria Clara, segurou as duas mãozinhas e começou a contar que a mamãe estava dodói. Falou sobre uns bichinhos que estavam dentro dela e que, a partir daquele dia, ela estaria mais ausente para tomar um remedinho. Disse que, por causa do remédio, o cabelo da mamãe ia cair. Os olhos da Maria se arregalaram e ela perguntou: "A mamãe vai ficar careca?" — "Sim", respondeu Micaela. Então Maria sorriu, achando tudo muito engraçado. Por alguns segundos ficamos mais leves. As duas se abraçaram em um grande abraço de urso. Ver o abraço entre elas me acalmou o coração. Nossa filha tinha deixado tudo mais fácil.

Por um tempo, após o abraço, Maria manteve o sorriso no rosto, provavelmente estava imaginando a mamãe careca. Em seguida, entre breves conversas, tentamos seguir com a rotina. As crianças precisavam dormir e, a partir daquele dia, tínhamos duas mamadeiras para preparar. Micaela fez questão de preparar a do Francisco, acho que foi uma maneira de ela se preparar também. Foram seis colheres de medida do composto lácteo para 180 ml de água morna, cuidadosamente colocadas uma a uma na mamadeira. "Será que compramos a mamadeira com o bico certo?", pensei. "A mamadeira tem um dinossauro, ele vai gostar."

Enquanto eu segurava o Francisco, Micaela se sentou na cama. Coloquei-o no colo dela e sentei-me aos seus pés na cama. Com a mamadeira na mão e oferecendo para ele, ela contou o que estava acontecendo e o porquê da mamadeira. A mamãe estava dodói. Entre as frases que permearam o diálogo me recordo de pouca coisa. "O papai escolheu uma mamadeira com dinossauro, olha que bonita, filho." Ele mamava um pouco, estranhava, fazia bico. "Filho, a gente combinou de passar isso juntos antes de nascer. Então, agora ajuda a mamãe. Toma o leitinho." No fim, não foi tão difícil, ele acabou tomando uma mamadeira e meia. Ver o Francisco no colo dela e os dois se olhando me trouxe certa esperança. Nosso filho tinha deixado tudo mais fácil.

As crianças dormiram, a casa estava em silêncio e tínhamos a confirmação do diagnóstico do câncer. Era uma sexta-feira e eu não sabia que aquilo era o início.

Sem saber o que fazer, no dia seguinte ao diagnóstico, decidi raspar a cabeça. Foi o jeito que encontrei para dizer tudo que eu não conseguia. Eu queria que a Micaela soubesse que eu estaria ao lado dela sempre.

Eu carregava a ilusão de ter o controle de alguma coisa na vida, mas, ao receber o diagnóstico do câncer da minha esposa, vi-me no meio de uma terra devastada. Não conseguia saber onde estava ou por onde começar. A sensação de que tudo que aprendera até ali sobre o que era ser homem, do meu papel como homem na sociedade, nada me serviria, nada havia me preparado para viver a morte.

Eu queria estar ao lado dela e dos meus filhos. Era a única coisa que fazia sentido para mim naquele momento. Pela primeira vez me vi no papel de cuidador. Desconfortável, sem jeito, sem saber como ou por onde começar – no entanto, eu quis, mais do que tudo, estar nesse papel. Eu queria ser bom o bastante, eu gostaria de estar mais preparado. Por isso passei a estar mais presente, no presente, na vida da minha esposa e dos meus filhos e, aos poucos, fui encontrando espaço, criando espaço para ser quem eu precisava e queria ser.

Acordando mais cedo para fazer o café da manhã para que ela pudesse descansar; chegando mais cedo do trabalho para assumir a rotina das crianças com o banho; na hora de dormir; na hora de fazer a comida; ajudando meu filho quando ele pedia para ir ao banheiro; virando a noite medindo a febre; levando e buscando na escola; participando do grupo de mães do WhatsApp; dizendo não às vezes; fazendo o coque do balé ou, ainda, tendo de costurar a fantasia. Nessas pequenas coisas, nesses cuidados, no toque, ao estarmos juntos, aumentamos nosso vínculo. Encontrei amor ao estar presente no dia a dia, nas coisas simples, nas pequenas coisas. Descobri que existe amor na dor. Hoje eu sei.

Passei a acompanhar a minha esposa em todas as consultas, exames, sessões de quimioterapia, tivemos tempo de encontrar um ao outro, criar novas conexões, intimidade e cumplicidade. Como se tivéssemos começado tudo de novo, e começamos. Ela foi a melhor parceira que eu poderia ter; além do amor, teve paciência e abriu espaço para que eu cuidasse dela.

Tive de aprender a viver uma jornada dupla. Diminuí a carga do trabalho no escritório e passei a acordar mais cedo e dormir mais tarde. Passei a ver quanto ela fazia e quanto eu, como pai, perdia na relação com ela e com meus filhos; quanto eu deixava de receber por não estar presente na rotina das pequenas coisas do lar.

Algo de extraordinário aconteceu: eu me apaixonei pelos meus filhos, eu me apaixonei novamente pela minha esposa.

A morte mudou a minha vida como homem, como ser humano. Comecei a achar sentido e ver a vida nas suas miudezas.

Não foi fácil me ver sozinho com meus filhos pela primeira vez, quando voltei do velório e tive de colocá-los para dormir. Depois de dois anos, em alguns momentos, ainda não é. Não é fácil acordar todos os dias às quatro e meia para conseguir dar conta do trabalho, da casa e das crianças. A vida tem se mostrado desafiadora, mas estou presente e tenho me redescoberto como homem e como pai, diariamente.

A morte da minha esposa não levou com ela a história de vida que compartilhamos. A Micaela continua sendo minha esposa e mãe dos meus filhos. Tudo que me ensinou, tudo o que me disse, o que vivemos juntos, continua vivo em mim e nos meus filhos. Falamos dela no tempo presente, porque para nós ela é. Ela continua presente na ausência, no dia a dia, no meu trabalho, no que escrevo, nos nossos filhos... Seguimos juntos.

A dor da perda é incurável. Não é algo que eu possa evitar. E, embora algumas coisas não possam ser consertadas, consegui achar um lugar confortável para ela. Não a cultivo, apenas aceito que ela é. Por causa dela comecei a viver. Faço isso pela Micaela, pelas crianças e também por mim, pois quero estar vivo quando a morte chegar.

Naquela mesa

Maria Júlia Paes da Silva

Naquela mesa, ele sentava sempre
E me dizia sempre o que é viver melhor[1]

Penso nele imediatamente toda vez que escuto essa música, há mais de vinte anos. A varanda da casa dos meus pais tinha uma mesa redonda, ao lado da sala de som, que era o local onde ele nos recebia com caipirinha, aperitivos, carinho e… música. Era o local de muitas conversas, atualizações (saí de casa cedo para estudar e me casei em seguida), música e poesia.

Ele gostava de poesia e de crônicas. Os amigos confirmam: a caipirinha que ele fazia era inesquecível. E as horas passavam rápido naquela mesa.

Eu tinha ido até lá, no interior de São Paulo, para comemorar o aniversário de uma tia querida, irmã dele. Não o achei tão animado. Disse que foi a feijoada. À noite não jantou. De madrugada me acordou. A cor de sua pele estava diferente, amarelada. Fomos para o pronto-socorro, foi medicado e voltamos. Pedi que ele se deitasse no sofá da sala e fiquei junto. Ele não se queixava, mas não conseguia ficar parado, muito menos dormir.

Voltamos ao pronto-socorro, avisei novamente: "A cor dele não é essa". "É a luz artificial", respondeu o profissional que nos atendeu. Nova medicação. Falei que preferia esperar lá, para ver se melhorava. Ao amanhecer foram feitos os exames. Daí até uma cirurgia de urgência, foram menos de quarenta e oito horas. Do pós-operatório até sua morte, foram catorze dias.

Ele ficou lúcido doze desses catorze dias, e nesses doze dias meus cabelos ficaram parcialmente brancos e nasceu uma pápula de sangue, em formato de coração, no meu hemitórax esquerdo. O dermatologista quis fotografar antes de retirá-la.

Meu pai era tranquilo, equilibrava as discussões familiares e... não sentia dor! Ou melhor, tinha um limiar de dor física muito alto. Assim, quando sentiu um "desconforto", já era grave seu estado físico. Toda a família se surpreendeu com sua internação – ele tinha boa saúde, não era obeso, nem hipertenso, nem diabético, e não fizera ainda 65 anos. Se fosse para apostar, todos diriam que ele envelheceria ouvindo suas músicas, tomando suas caipirinhas nos finais de semana e cumprimentando e conversando com todos, indistintamente.

Pelo trabalho, houve um período em que viajou muito e voltava cheio de histórias. Ao redor da mesa, eu e meus irmãos as ouvíamos com vontade. Quando tive a oportunidade de conhecer o Mercado Ver-o-Peso, em Belém, foi como se já o conhecesse, tamanha a quantidade de detalhes que ele havia descrito. "Naquela mesa, ele contava histórias/ Que hoje, na memória, eu guardo e sei de cor"[2].

Naquela mesa, também, eu ficava cansada quando, depois de tocar todas as músicas que eu sabia no violão, a ponta dos dedos doendo, ele ainda tinha fôlego e disposição para pedir: "Toca aquela". E o que me dá muita saudade: fazia a segunda voz.

A primeira vez que voltei à casa, depois do enterro, olhei para a mesa e gravei: "Naquela mesa tá faltando ele/ e a saudade dele tá doendo em mim"[3]; "Eu não sabia que doía tanto/ uma mesa num canto, uma casa e um jardim"[4].

Não foi a primeira vez que chorei sua morte; na verdade, chorei todos os dias desde sua hospitalização, porque ficou claro, para mim, que já estávamos diante de uma situação de cuidados paliativos. À época, eu já ministrava aulas de Tanatologia — ainda não existia no Brasil a disciplina de Cuidados Paliativos, com esse nome; existia a aula que eu partilhava com os alunos, a compreensão de que o processo de morrer envolve fases, família, verdade, opções, valores, proteções, autonomia e muitos, muitos sentimentos.

Hoje tenho a impressão de que quando ele foi hospitalizado é que me "caiu a ficha": "Meu Deus! Estou fazendo cuidados paliativos com minha família!" Chamei minha irmã e sua família, que estavam fora do Brasil: "Achei que você precisa saber como ele está, para poder decidir se quer vir para cá agora ou não". Eles voltaram. Fui explicando para minha mãe o estado físico dele, até que chegou o dia de dizer: "Será que não está na hora de o liberarmos? Ele já está pronto para ir". Ela chorou muito, até que se pôs ao lado dele e lhe disse que ele não precisava ficar sofrendo; que se quisesse ir, ela compreenderia.

Como eu sabia que ele estava pronto? Ele escreveu! Forneci papel e caneta hidrográfica para ele escrever o que quisesse, perguntar o que não houvesse entendido, explicar seus desconfortos. Depois de entender por que a hemodiálise não estava funcionando, por que a medicação não estava estabilizando sua pressão, por que suas pernas estavam tão edemaciadas, por que seus pulmões estavam encharcados, ele escreveu: "Estou pronto. Se tiver que ir, podem levar…"

Existem diferentes conceitos de autonomia. A quantidade de liberdade que temos não determina o valor de nossa vida. Quaisquer que sejam os limites e as dificuldades que enfrentamos, queremos manter a autonomia, a liberdade de ser os autores de nossa vida. Essa é a essência de ser humano; a consciência do livre-arbítrio. Osho, em algum de seus livros, lembra: se você realmente ama uma pessoa, dê a ela espaço infinito.

Ah, que difícil! Antes disso, fiquei todos os dias ao seu lado, explicando, contando histórias, tocando violão (entrei com o violão na UTI), cantando, segurando sua mão durante os muitos procedimentos. Mas à noite ia embora para casa, precisava descansar, tinha uma filha pequena. Quando eu avisava que iria embora, que confiava na equipe que cuidaria dele à noite, que voltaria na manhã seguinte, ele levava minha mão direita até os lábios, depositava um beijo e o transferia para minha face. Se despedia de mim diariamente com um beijo! Como gostei de ter dito a ele: "Pai! O senhor consegue demonstrar amor sempre! Até nesses momentos o senhor consegue dizer que me ama!"

> *Dia virá em que*
> *depois de dominarmos os ventos,*
> *as marés e a gravidade,*
> *dominaremos para Deus*
> *as energias do amor.*
> *E, nesse dia,*
> *pela segunda vez na história do mundo,*
> *o homem terá descoberto o fogo.*
> (Teilhard de Chardin)[5]

Aí eu chorava do hospital até chegar em casa. Fui chorando todos os finais de tarde, fui me despedindo todos os dias dos seus gestos de amor, do seu olhar, da sua companhia. Estava fazendo tudo que acreditava, tudo que sabia, tudo que podia, tudo que ensinava... mas como doía!

O cerne do trabalho terapêutico consiste em ensinar os seres humanos a sentir e a expressar o amor. Não é de hoje que as pessoas que nos servem de inspiração fazem isso. Quando escrevi *O amor é o caminho — Maneiras de cuidar*[6], tinha vislumbrado essa verdade. Contei, nesse livro, que quase desisti da graduação em Enfermagem por ter vivenciado a morte de um jovem da minha idade, na época. Não sabia o que deveria fazer, como conversar com a família. A impressão de fracasso foi forte, de incompetência diante da... vida! Do ciclo da vida terrena. Hoje sinto que ninguém jamais tem controle de fato. A física, a biologia e o dinamismo das nossas relações acabam direcionando o que acontece em nossa vida. O importante, porém, é que também não somos totalmente impotentes. Podemos nos

Quando a morte chega em casa

desenvolver como seres humanos, podemos buscar o desenvolvimento da nossa consciência. A coragem é a força para reconhecer ambas as realidades. Ter coragem, do francês *cour + age*, é agir com o coração. O amor continua sendo o caminho.

Meu irmão não é da área de saúde, mas várias noites ficou com ele na UTI, quando eu saía. Aprendeu a ler o monitor cardíaco para acompanhar seu estado. De manhã me perguntava: "O que é para fazer?" Aceitou quando avisei que estávamos falando de terminalidade e me apoiou no que eu precisava, assim como meu companheiro.

No momento de sua morte, estávamos reunidos ao lado da cama, rezando o Pai Nosso. Foi assim que o monitor parou: ao som do Pai Nosso. Juntos estavam também uma enfermeira e um médico.

> Descansa, pai, dorme pequenino, que levo o teu nome e as tuas certezas e os teus sonhos no espaço dos meus. Descansa, não vou deixar que te aconteça mal. Não te aflijas, pai. Sou forte nesta terra nos meus pés. Sou capaz e vou trabalhar e vou trazer de novo aqui o mundo que foi nosso. Vou mesmo, pai.[7]

Escrever para se curar, para elaborar, para aprender, para partilhar experiências de vida, para entender. A verdadeira cura é um processo contínuo, uma vez que ela representa o nosso direito natural, a nossa natureza essencial. Descobrir a cada momento essa graça interior é conquistar a cura[8]. Curar-se dos apegos, curar-se das ilusões, curar-se do sofrimento. Já entendi que, quanto mais forte o nível de apego, menos podemos ver e ouvir a vida. E a vida é fluxo contínuo, é mudança e transformação.

Aprendo, diariamente, que o que dá força a qualquer apego que eu tenha é o amor condicional. Em vez de estar no presente, me pego no passado e, muitas vezes, fazendo autocrítica. "E se... mas, se tivesse feito... se não tivesse feito..." Ah, a perfeição: que prisão!

O xamã Don Miguel Ruiz ensina que, se vemos a vida com os olhos de um artista, aceitamos sua criação contínua, suas nuances, suas cores, suas formas: uma obra-prima que nunca termina.[9] Viver no "e se... mas quando..." é viver encerrado em pensamentos que nos condenam à infelicidade. Conseguimos a cura quando somos capazes de resgatar a harmonia em meio às tensões discordantes da nossa vida. Se nos aceitamos pelo que somos neste exato momento, o amor já não é mais a condição para a mudança, e sim o ponto de partida. O verdadeiro amor incondicional.

Amar por amar! Amar para também viver momentos como o que vivi: "Pai, até nesses momentos (morrendo!) o senhor consegue dizer que me ama!" Reconhecer o amor nos pequenos (grandes) gestos, na atitude, na maneira de agir e de falar. Os seres respondem com toda sua potencialidade às ações amorosas! Mesmo morrendo. Por que tantos de nós não se permitem estar vivos até que estejam absolutamente seguros de que vão morrer? Lembram-se da música do John Lennon? "A vida é aquilo que acontece enquanto estamos ocupados fazendo outros planos?"

Toda história, quando recontada, vai ganhando contornos da memória atual. Claro que vinte e cinco anos atrás eu não tinha entendido que a cura não significa necessariamente ficar fisicamente são ou poder se levantar e voltar à sua vida anterior. Significa, antes, a conquista de um equilíbrio entre as dimensões física, emocional, mental e espiritual (meu pai escreveu: "Estou pronto. Se tiver que ir, podem levar...").

Parece existir hoje a noção de que, se nos alimentarmos corretamente, praticarmos exercícios, meditarmos e usarmos a visualização positiva viveremos (com este corpo!) para sempre. É claro que nossos hábitos de saúde fazem diferença na nossa qualidade de vida e na recuperação dos desequilíbrios, mas cumpre lembrar que mesmo os santos deixaram seu corpo físico. Dos que conheço, não existiu nenhum que tenha se lamentado dizendo que aquilo jamais teria acontecido se ele tivesse meditado melhor, visualizado suas imagens com mais rigor ou recusado um último chocolate. Mas a tendência a nos culparmos está sempre nos rondando.

Se continuarmos acreditando que o estado do nosso corpo reflete o nosso valor, estaremos de fato condicionados ao sofrimento. Hoje, estando quase com a idade que meu pai tinha quando morreu, penso e sinto que somos curados quando conseguimos crescer com o nosso sofrimento, quando somos capazes de reformulá-lo com um ato de graça que nos leva de volta ao que verdadeiramente somos. Joan Borysenko chega a afirmar que pecado é todo e qualquer pensamento ou atitude que impeça a pessoa de reconhecer sua verdadeira natureza interior, o valor essencial dessa natureza e seu vínculo com uma consciência mais ampla ou divindade.[10] A meditação tem me ajudado diariamente. Fazer um inventário diário das minhas ações, também. Decidi morrer sem dever nada: nenhum desculpe, nenhum obrigada, nenhum eu te amo. Tenho refeito esse contrato comigo diariamente. Tal como a verdade, a cura não é algo a *ser alcançado*, mas algo a *ser*.

Não há nada de errado em morrer, se é disso que alguém está precisando. Considerando que todos nós morreremos um dia, a morte não pode ser uma derrota[11]. Evidentemente há sempre um sentimento de pesar, de tristeza, de vazio quando se perde um ente querido. Mas podemos aprender e assumir essa dor, além de auxiliar no processo de cura de outros com ela (para mim, essa é a intenção ao escrever este capítulo). Entendo que as transformações, na vida, são inevitáveis; o crescimento é uma opção.

Aprendi que podemos sobreviver à perda de todos aqueles a quem amamos se optamos por continuar amando outras pessoas. É isso que fazem os sobreviventes: se renovam no amor. "[...] no campo de concentração se pode privar a pessoa de tudo, menos da liberdade última de assumir uma atitude alternativa frente às condições dadas"[12].

Outro aspecto desse processo de "perda", que pode ser de cura, é que ele não ocorre apenas em nível individual. Como cada ser está ligado, através de uma vasta rede de relacionamentos, a inúmeras pessoas e criaturas do planeta, o processo de curar uma única pessoa tem ramificações de longo alcance. Explicar o processo para meu pai, conversar com minha mãe, irmãos, filha, familiares sobre o que estava acontecendo foi terapêutico, curador. Modificou meu jeito de viver, de atuar e de ensinar. E também o de vários deles.

Cada conversa, cada escolha, cada encontro, dentro e fora daquele hospital, durante aquele processo, foi permitindo que nos compreendêssemos, que percebêssemos nossas diferenças, nossas crenças, nossos valores. Filha e profissional da área de saúde, fui percebendo que uma grande tarefa é ajudar as pessoas a lidar com a enorme ansiedade: ansiedade em relação à morte, ao sofrimento, às pessoas amadas, a questões financeiras. Nenhuma única conversa dá conta de todos esses aspectos. Há de se ter um tempo para entender os limites e as possibilidades desse processo.

Felizmente, não aconteceu o que eu aprendera lendo *A morte de Ivan Ilitch*, de Tolstói[13]: "O que mais atormentava Ivan Ilitch era o fingimento, a mentira, que por alguma razão eles todos mantinham, de que ele estava apenas doente e não morrendo e que bastava que ficasse quieto e seguisse as ordens médicas que ocorreria uma grande mudança para melhor". Fomos verdadeiros nas nossas diferenças. Foi dolorido, houve atritos. Todos nos modificamos. E, talvez, o terapêutico da experiência da chegada da "morte em casa" (título deste livro) seja esse movimento. Talvez, até, nossa tarefa não seja fazer que algo aconteça, mas desvelar o que já está acontecendo em nós e nos outros, identificando e favorecendo as condições que alimentam esse processo.

Com a vivência da pandemia de Covid-19, todos os seres humanos se aproximaram mais da terminalidade, perdendo familiares, amigos, colegas de trabalho. A morte, se não chegou em casa, passou perto, com certeza. Estamos tendo a oportunidade de perceber o que ainda não foi dito para as pessoas que amamos e pode ser dito hoje, enquanto ainda é possível. Estamos tendo a oportunidade de desenvolver ainda mais a tolerância e a paciência. Estamos sendo convidados, pela própria vida, a olhar para nosso "ninho" e sentir-nos gratos por tudo que experimentamos e temos ou tivemos. Estamos no tempo de mergulhar em nós mesmos e rever nossa essência. O que realmente somos? O que morre quando um corpo físico morre? O que fica depois da dor?

Hoje continuo no caminho, colhendo meus fragmentos para ser melhor[14] (o meu melhor!) e reconhecer minha inteireza. Tenho a impressão de que ser mortal é lidar com todos os nossos limites, todos os dias. Não só na nossa terminalidade. Reconhecer esses limites e ter a vontade de superá-los, testá-los, talvez seja crescer. Perguntar-se: quais são meus medos e esperanças? Quais são as concessões que estou disposta a fazer e as que não estou? Qual é meu plano de ação que melhor corresponde a esse entendimento? Refletindo sobre "aquela mesa", sinto-me mais confiante, sinto amor, tenho fé e humildade, pois estive presente durante todo o processo. Fiz o melhor que pude. Estou no caminho.

> Pai. Dorme, pequenino, que foste tanto. E espeta-se-me no peito nunca mais te poder ouvir ver tocar. Pai, onde estiveres, dorme agora. Menino. Eras um pouco muito de mim. Descansa, pai. Ficou o teu sorriso no que não esqueço, ficaste todo em mim. Pai. Nunca esquecerei.[15]

Notas

1. Trecho da música "Naquela mesa" (1972). Compositor: Sérgio Bittencourt. Intérpretes: Nelson Gonçalves e Raphael Rabello.
2. *Ibidem.*
3. *Ibidem.*
4. *Ibidem.*
5. Teilhard de Chardin, *Sobre a felicidade/Sobre o amor.* Rio de Janeiro: Verus, 2005.
6. Maria Júlia Paes da Silva, *O amor é o caminho — Maneiras de cuidar.* São paulo: Loyola: 2014.
7. José Luís Peixoto, *Morreste-me.* Porto Alegre: Dublinense, 2015.

8. Stephen Levine, "A cura para a qual viemos ao mundo". In: Richard Carlson; Benjamin Shield (orgs.), *Curar, curar-se*. São Paulo: Cultrix, 1997, p. 211-17.
9. Don Miguel Ruiz, *A voz do conhecimento*. Rio de Janeiro: BestSeller, 2007.
10. Joan Borysenko, "Removendo barreiras até encontrar a paz". In: Richard Carlson; Benjamin Shield (orgs.), *Curar, curar-se*. São Paulo: Cultrix, 1997, p. 203-10.
11. Atul Gawande, *Mortais*. Rio de Janeiro: Objetiva, 2015.
12. Viktor Emil Frankl, *Em busca de sentido — Um psicólogo no campo de concentração*. Petrópolis: Vozes, 2008.
13. Leon Tolstói, *A morte de Ivan Ilitch*. Porto alegre: L&PM, 1977.
14. Maria Júlia Paes da Silva, *No caminho — Fragmentos para ser melhor*. São Paulo: Loyola, 2017.
15. José Luís Peixoto, *op. cit.*, p. 61.

A vida em cada morte que vivi

Mariana Ferrão

Descobri o ritmo da morte na minha vida em um curso de finanças para mulheres. Tratava-se de uma jornada que juntava educação financeira com autoconhecimento.

Em uma das aulas, a professora sugeriu o seguinte exercício: dividir a vida de sete em sete anos e marcar em cada setênio os acontecimentos mais importantes. Assim, comecei a dividir a cartolina em quadradinhos: dos 0 aos 7, dos 7 aos 14, dos 14 aos 21, dos 21 aos 28, dos 28 aos 35 e dos 35 aos 42.

Quando acabei o exercício, reli o que tinha escrito em cada fase e levei um susto ao perceber que, com exceção do primeiro setênio (até os 7 anos), em todos os outros havia uma morte muito importante na minha vida.

Vovó Nininha e o mistério indivisível

No meu segundo setênio, perdi a mãe da minha mãe, Helena, a vovó Nininha. Ela se deitava no chão, dava cambalhota para brincar, tinha o dom de adivinhar desejos e — mais do que isso — o dom de me fazer sentir amada sem que eu precisasse dizer absolutamente nada. Foi ela, sem dúvida, que me ensinou o que é o amor incondicional.

Quando eu tinha 12 anos, a Juma, uma *cocker spaniel* meiga, que havia chegado à minha casa na transição da infância para a adolescência, fazia xixi no banheiro que eu dividia com o meu irmão e, por isso, por lá sempre havia jornal no chão. Um dia, entrei no banheiro, bati o olho no jornal e vi, na primeira capa, a vovó Nininha morta. A imagem borrada de sangue revelava uma explosão no cérebro.

Ela não tinha morrido. Nada havia acontecido com a vovó Nininha, mas eu a vi morta e, daquele dia em diante, aquela imagem ficou na minha cabeça como um filtro de papel vegetal: para onde quer que eu olhasse, antes via a vovó Nininha morta e só depois, através daquela lente ensanguentada, enxergava o restante do mundo.

Não tive coragem de contar a ninguém. Não tinha coragem nem de dizer a mim mesma que estava vivendo aquilo: a visão imposta por um filtro tenebroso que imploderia meu mundo caso se concretizasse. E, se eu contasse, quem ia acreditar? Eu já podia prever os diálogos: "Isso é bobagem!", "Não pense nisso". Mas como eu poderia deixar de pensar em algo que via o tempo todo para onde quer que olhasse?

Dois meses depois, um AVC (acidente vascular cerebral) hemorrágico explodiu o cérebro da vovó Nininha. Quando ela morreu, o filtro tenebroso subitamente sumiu da minha cabeça. A concretude da morte apagou magicamente a minha visão do horror, mas não acabou com a solidão que eu experimentava por não me sentir confortável para dividir aquele mistério. No enterro, ao lado do caixão, senti uma profunda vontade de ir junto para onde quer que ela fosse, mas segurei firme a mão dela e prometi: "Vó, eu vou viver para ser uma vó tão legal quanto você!"

Ainda não sou avó, mas o curso da vida já me permitiu encontrar pessoas com as quais posso falar sobre os mistérios da morte e, com isso, acarinhar minha solidão.

Com essa primeira morte, tive a certeza de que conhecer algumas pessoas, mesmo que por um tempo exíguo, vale uma vida!

Minha mãe, a leveza do voo da borboleta amarela e a intensidade do tempo oferecido

Em 1999, eu fazia faculdade de jornalismo de manhã e de tarde cursava a Faculdade de Comunicações das Artes do Corpo, na PUC-SP. No intervalo, ia até o Teatro Municipal, praticar balé. No dia 13 de abril, no ônibus, quando voltava do centro da cidade para almoçar na faculdade, um sussurro invadiu minha mente: "Preciso falar com a minha mãe". Quando cheguei à PUC, o orelhão do refeitório tinha uma fila imensa; acabei me conformando: "Ah, depois eu falo!"

Já era noite quando cheguei em casa e do hall do elevador ouvi o telefone tocar: era do consultório da minha mãe.

— Por favor, eu posso falar com um adulto?

— Pode falar, eu tenho 20 anos.

— Não, eu quero falar com um adulto.

— O que aconteceu com a minha mãe?

— Sua mãe passou mal, ela teve uma convulsão, ela está melhor, está descansado aqui na sala.

— Tô indo praí.

Avisei meu pai e nos encontramos na porta do consultório alguns minutos depois. Lá estava ela, sentada na sala de espera, segurando alguns livros, miúda e assustada. Olhou para nós, disse que ia entrar na sala para buscar um agasalho. Quando saiu, começamos a descer as escadas: meu pai na frente, ela no meio e eu atrás.

— Cadê a Mari? — perguntou.

— Estou aqui, mãe.

— Então vamos — ela disse.

Foram as últimas palavras que ouvi dela. Dentro do carro ela teve mais uma convulsão e chegou em coma ao hospital: outro AVC hemorrágico.

A relação que eu tinha com a minha mãe era de melhor amiga. Ela me contava coisas que uma mãe normalmente não conta para uma filha: as primeiras transas, a primeira vez que ela experimentou maconha, coisas sobre o relacionamento dela com meu pai. Isso era bom e ruim ao mesmo tempo.

Minha mãe ficou um mês em coma antes de morrer. Um dia, quando estávamos no hospital, meu pai saiu da UTI para tomar um ar, mas voltou minutos depois extremamente emocionado:

— Sua mãe me deu um beijo! — ele disse.

— Como assim, pai?

— Uma borboleta amarela pousou no meu ombro e eu senti: foi o beijo da sua mãe — explicou.

Uma borboleta amarela me acompanhou em muitos momentos de dor naquele mês de coma. No dia do enterro, quando o caixão estava descendo, olhei para cima tentando engolir as lágrimas e meus olhos acabaram pousando em uma borboleta amarela. Foi como se aquele bater de asas me dissesse: "Ainda bem que aproveitamos nosso tempo juntas da melhor forma possível".

Ali, entendi por que a minha relação com a minha mãe foi tão intensa, por que eu soube tanto em tão pouco tempo. A gente tinha pouco tempo. Quando viajei sozinha pela primeira vez sem meus filhos, fui me despedir morrendo de medo de acontecer alguma coisa comigo e não os ver nunca mais — esses medos que toda mãe tem. O Miguel estava dormindo, mas mesmo assim eu queria dizer algo que fizesse sentido. Pensei em minha mãe e a frase que acabou saindo foi: "Se você sentir saudades, filho, me procura dentro de você". Foi então que entendi: quem vai embora continua dentro da gente.

A princesita, Tito e o elo para a experiência do luto inibido e não autorizado

Entre os 21 e os 28 anos, perdi o pai do meu pai. Ele era mexicano e por isso o chamávamos de Tito, um diminutivo carinhoso para *abuelito*. Carinhoso como poucas pessoas que conheci, Tito tinha um apelido para cada neta: o meu era *princesita*.

Quando lhe entreguei o convite do meu casamento, ele me olhou e disse: *"Vamos bailar una valsa"*. Lembro-me de ter sentido alguma coisa me dizendo: acho que a gente não vai dançar, Tito. Mas eu não dei bola. Nessa época, eu havia deixado de olhar para os meus próprios mistérios, tinha começado a me distanciar de mim.

Eu havia acabado de ser nomeada editora do tempo do Jornal da Band pelo Carlos Nascimento, que tinha o desejo de transformar a previsão do tempo na TV em algo mais relevante. O jornal estreou numa segunda-feira. Meu avô morreu na terça. Liguei para o chefe de redação para saber se eu podia faltar para ir ao velório e ao enterro e ele me disse que era melhor não, afinal era apenas o segundo dia do jornal.

Foi uma agressão tão grande não poder estar perto da minha família naquele momento, ter de trabalhar num dia como aquele, que eu trabalhei sem chorar. Neguei que estava sofrendo, porque o sofrimento de não poder sofrer era maior do que o sofrimento em si. Hoje penso nisso e me lembro de todas as pessoas que não puderam enterrar seus mortos durante a pandemia.

Por causa do trabalho, aquele foi um luto que eu quase não vivi e que ficou mal resolvido; custou mais a ir embora. Não chorar uma morte não ajuda a deixá-la menos dolorida. É quase demarcar dentro de você um território proibido, uma zona de perigo que nem você se arrisca a adentrar. E, se eu já não estava tão conectada comigo mesma nessa época, isso só me distanciou ainda mais de mim.

Não chorar uma morte é fechar os olhos para o que está vivo do lado de dentro.

O avô Laertes e a compreensão de resolvermos em vida o que em morte não será possível

Na mesma semana em que a direção da Globo me convidou para apresentar o Bem Estar, meu avô Laertes, pai da minha mãe, foi internado. Ele me ensinou a gostar de bicho, de arte e de gente. Tinha elegância nata, uma inteligência ímpar e era um grande pesquisador; psiquiatra, foi presidente da Sociedade Brasileira de Psicanálise de São Paulo durante vinte anos. Era bom negociante e ao longo da vida comprou não apenas obras de arte, mas também algumas terras no interior do estado.

Até hoje a herança está parada, bloqueada por desentendimentos familiares. A morte que se estende num rolo de inventário pode matar o que ainda vive: relações entre irmãos, filhos, primos, tios etc. A morte do meu avô me ensinou que a gente precisa aprender a morrer. Se você não deixar resolvido, a morte não resolverá nada por você.

Abuelita e o legado de coragem e de libertar a ação (libertação) das mortes em vida

Em março de 2019, eu havia tomado a decisão de deixar a Globo. No momento em que planejava a minha saída pensei na tristeza da minha avó, mãe do meu pai, por não poder mais me ver todos os dias na TV. Uma semana antes de comunicar o diretor-geral sobre meu pedido de demissão, fiz uma improvisação que me deixou extremamente cansada na minha aula de dança. Ao final, a professora, Claudia de Souza, pediu que eu me deitasse no chão e escutasse meu corpo. O que aconteceu foi uma meditação profunda em que senti que paria a minha avó: no mesmo instante me convenci de que, apesar de tantas pessoas me dizerem para fazer o contrário, realmente deveria sair da Globo para seguir meu próprio caminho. Ali, no chão da aula de dança, decidi que sairia da Globo também para honrar a história de minha *abuelita* — uma mulher que abandonou a faculdade para se casar, que deixou o país de origem para acompanhar o marido que fugira para o Brasil. Uma mulher que sentia falta das amigas e de ter uma vida para além da família.

Naquela meditação, entendi que não é preciso morrer para deixar morrer o que em nós já está morto. E que quando nos libertamos para viver nossos lutos, seja por um emprego ou por uma relação que perdemos, abrimos caminho não apenas para o novo na nossa vida, mas também para que os nossos descendentes tenham a mesma coragem de seguir sua própria jornada.

Minha *abuelita* morreu uma semana depois disso, horas depois de eu ter pedido demissão da Globo.

Ela não tinha dinheiro guardado, mas deixou três filhos que se revezavam nos fins de semana para cuidar dela. Deixou também onze netos, que hoje estão em quatro países diferentes, sonhando com o dia em que todos voltarão a se reunir como já fizeram algumas vezes. Na memória desses netos, ela deixou também os almoços de sábado. Na casa da *abuelita*, todos eram especiais, sendo apenas cada um de verdade. Deixou ainda uma coleção de corujas, as fotos de todos os netos e filhos penduradas na parede do quarto e, na sala, um chão em que sempre se podia brincar.

Na minha memória, imprimiu para sempre a pele de vó com a temperatura que corpo nenhum esquece e a certeza de que o que vale na vida a morte não leva.

É preciso guardar as relações significativas para saborear a vida

Quando estava preparando este capítulo, meu filho caçula me fez um desenho com o seguinte título: "Coisas que deveríamos poder guardar". Na folha sulfite, seis retângulos pintados com cores fortes e traços delicados. Depois que ele coloriu os retângulos, pediu que eu escrevesse embaixo de cada um deles as tais "coisas que deveríamos poder guardar": pôr do sol, olhares, sonhos, risadas, o som das ondas do mar e o cheiro de quem amamos.

A morte, para mim, é uma lanterna com foco escancarado naquilo que guardamos da vida. Se, em vez de guardar dentro de nós o ímpeto de viver, deixarmos esse ímpeto nos impulsionar para a vida — qualquer que seja ela —, estaremos sempre dispostos a aprender com a morte.

Vida: dançando com a morte

Plínio Cutait

> *Venham para a beira, ele disse. Não podemos,*
> *estamos com medo, eles responderam. Venham*
> *para a beira, ele disse. Não podemos, vamos*
> *cair, eles responderam.*
> *Venham para a beira, ele disse. E então eles vie-*
> *ram. E ele os empurrou. E eles voaram.*
> Christopher Logue[1]

Minha primeira experiência de morte aconteceu quando meu avô materno faleceu, aos meus 3 anos de idade. Enquanto eu chorava em seu velório, vieram me consolar, me dizendo coisas que nem consigo lembrar. Mas lembro da minha resposta: eu quero sorvete! Por isso eu chorava. A morte do meu avô me pareceu tão natural quanto um almoço de domingo em família. Minha próxima experiência de morte foi aos 12 anos. Essa foi muito dolorosa. Meu melhor amigo faleceu num acidente de moto. Foi a primeira vez em que de fato eu vi um corpo morto, dentro de um caixão, deformado pelo acidente, num casarão enorme que ainda existe na minha memória, certamente distorcido pelo tempo. Muito depois perdi um irmão muito querido com 41 anos de idade, e vi todo o sofrimento de um pai e de uma mãe impotentes diante do inevitável, que se esforçavam para manter a serenidade dentro da família por conta dos outros filhos e netos – e que fizeram o impressionante pacto de nunca chorar na frente um do outro. Anos depois, meu pai, que até pouco antes ainda operava e era muito conectado com a vida, com uma mente extremamente lúcida, faleceu aos 87 anos na própria cama, com toda a família por perto e seu quarto filho, o caçula, sentado ao seu lado, na cama, lhe fazendo *reiki*, como ele gostava. Ele partiu quando minhas mãos estavam em seu peito. Seu coração parou literalmente nas minhas mãos. Que honra!

Essas perdas e tantas outras foram me ensinando a viver as mortes do dia a dia, aquelas que acontecem dentro de nós. Conto um pouco sobre como a morte tem me levado à vida. Cresci numa família cheia de amor, harmonia e cuidado. Meu universo era protegido e sólido. Mas um dia a vida chacoalhou. Adolescente expansivo e cheio de paixões, fui expulso do colégio de padres em que estudava no final do ginásio (ensino fundamental) e em seguida, entre 14 e 15 anos, tive uma desilusão amorosa muito forte, que me trouxe grande sofrimento. Minha mãe mal acreditava que um menino daquela idade pudesse chorar tanto por amor. Sem saber que não era a primeira vez. Me vendo naquele estado, ela me mandou a uma viagem para a Bahia com irmãos e amigos, sem ter ideia de como isso alteraria o rumo da minha história. Ela não levou em conta que Salvador em tempos de Carnaval, no começo da década de 1970, era um lugar cheio de... riscos! Foi maravilhoso! Praça Castro Alves, mortalha, namorada nova, uma imensa liberdade. Um dos frutos dessa viagem chegou ao meu corpo em forma de hepatite, que me deixou de cama por dois meses e por um ano sem exercícios físicos, conduta comum naquela época.

Esse ano mudou radicalmente a minha vida. O esporte era parte de mim. Futebol, tênis, basquete, natação, polo aquático, surfe — e, com ele, a natureza, o nascer do sol, o mar, os sons, a aventura —, tudo me foi retirado, tudo aquilo que se confundia com quem eu pensava que era. Me retirei do esporte sentindo que me retirava de mim mesmo. Meu mundo externo se fechava enquanto o interno se abria em pequenas e vigorosas fendas, me convidando a navegar por mares desconhecidos, assustadores, encantadores e irresistíveis. Minha bússola tinha girado 180 graus. De fora para dentro. Do mundo da atividade para o contemplativo. Para consagrar essa rotação, ganhei de um amigo, durante o repouso absoluto, o livro da Nise da Silveira sobre Carl Jung. *Self*, sombra, persona, individuação... conceitos que me chegaram cedo, como novas velas na minha embarcação, um novo chão para os meus pés. Jung me levou, aos 15 anos, a um mergulho em mim mesmo, me mostrando diferenças entre o real e a ilusão.

As formas que compunham minha vida morreram, e, sem olhar para trás, enterrei meus mortos e me abri para a vida, para novas formas. Desconhecidas, desafiadoras e atraentes. Minha elaboração não chegava a esse ponto naquela idade, mas o meu instinto aflorou, se tornou locomotiva, me conduzindo a um tempo de muitas mudanças e muito determinante da minha vida. Filho de médico com vida universitária e associativa intensa, sempre fui incentivado a estudar. Mas, com os ventos que sopraram nos meus 15 anos, eu já não cabia no mundo que eu conhecia, no ambiente de família, nem em mim mesmo. Precisava içar a vela do meu barquinho solitário e me lançar na minha própria vida, fosse o que fosse. Puro instinto. Parei de estudar e, dos 15 aos 19 anos, surfei, toquei piano, viajei, fui à natureza, estive só, com todas as asas adolescentes abertas. As drogas da década de 1970 fizeram parte desse tempo. A conta é fácil: surfe, música, natureza, solidão, drogas, curiosidade, sede de vida, asas abertas... me trouxeram muita experiência do meu mundo interno. Vivi os riscos inevitáveis, aprendi novas lições com meus sentidos e minha consciência, visitei lugares sombrios e luminosos dentro e fora de mim, me perdi e me achei muitas vezes. E uma coisa muito importante aconteceu: compreendi que a vida me pertencia! E eu era responsável por ela, conjugando livre-arbítrio, consciência e poder pessoal para ter uma experiência rica, significativa e valiosa. A compreensão de que a vida me pertence não morreu em mim. Teria morrido se eu não tivesse me atirado no abismo depois da hepatite. Há mortes que levam à vida.

Aos 19 anos, por sugestão do meu pai, fui morar numa fazenda produtiva e me encantei com a agronomia. Decidi voltar a estudar, certamente o plano dele. Fiz Madureza (uma espécie de supletivo) porque, afinal, não havia feito o colegial (ensino médio). Comecei o cursinho determinado a entrar na faculdade. Não sabia nada, nem equação do segundo grau, nem a fórmula da água. Estudei de manhã, de tarde e de noite. Como uma bênção, encontrei no cursinho uma amiga que me ensinou tudo que eu precisava aprender. Sem ela, não iria longe. E, no meio do ano, uma angústia inesperada: comecei a pensar em estudar medicina, um pensamento quase macabro, que me confundiu, me trouxe espelhos embaçados. Família! Eu precisei de uma ou duas semanas nas montanhas de Minas Gerais, um dos meus grandes refúgios até hoje, acampando sozinho na natureza em silêncio. Silêncio do lado de fora... dentro, minha mente não me deixava em paz nem por três segundos. Mal podia acreditar: decidi mesmo fazer medicina. Comuniquei ao meu pai e ele, sem saber o que responder, me disse, depois de uma longa pausa: "Há muitas faculdades boas de medicina", citando algumas delas. Seu receio de que o filho não desse conta do desafio do vestibular, depois de uma adolescência fora da curva, sem estudar, se manifestou ali naquela lista de faculdades fáceis de entrar. Enquanto escutava a lista e sentia sua falta de confiança, eu o olhava sem piscar, o coração confuso, um redemoinho na barriga, um grito quase escapando. De fato, eu já estava decidido a cursar a Escola Paulista de Medicina ou a Faculdade de Medicina da USP. Só me inscreveria para essas duas. Saber disso o aterrorizou ainda mais. Hoje eu o entendo.

Entrei na USP, faculdade em que ele e meu irmão mais velho tinham estudado e onde ensinavam. Duas emoções me invadiram. A tristeza de ver morrer meu tempo de voo solitário sem cinto de segurança, na adolescência, e o entusiasmo de entrar em novo território, um novo ciclo da minha vida. Mais uma vez, vida e morte dançavam dentro de mim. Me despedi dos meus olhos vermelhos de adolescente, que se abriram para os livros, e de meus longos e queridos cabelos, que deram lugar a uma cabeça raspada acompanhada de duas sobrancelhas negras. Já nos primeiros dias de faculdade, fui parar dentro do centro cirúrgico com meu pai e irmão, no mundo da colo-proctologia. E todos diziam: agora o Plínio está feliz!

Minha rotina se transformou. Eu acordava às cinco da manhã, corria no parque, me sentava ali mesmo para praticar uma meditação que eu estava aprendendo a fim de desenvolver minha intuição sobre diagnósticos, tomava um banho, chegava ao Hospital das Clínicas antes de a aula começar, para visitar as enfermarias, me aproximar do leito dos pacientes e intuir um diagnóstico, e depois olhar o prontuá-rio e checar acertos e erros. Às oito ia para as aulas e cursava até as seis da tarde, quando então ia trabalhar no laboratório de bioquímica e engenharia genética, no quarto andar da faculdade, com o dr. Ricardo Brentani, que naquele momento pesquisava a existência do oncogene. Uma vez por semana, fazia plantão voluntário de madrugada no Pronto-Socorro Cirúrgico do Hospital das Clínicas. Tiros, facadas, acidentes, queimaduras, o socorro, a urgência... tudo isso me atraía. E o dia continuava. À noite, visitaria minha namorada possessiva, tocaria em algum bar da cidade, ensaiaria em algum grupo de teatro ou dança ou entraria em cirurgia com meu pai. No final do dia, eu me sentia pleno. E cansado!

Respondendo a um chamado irresistível, entre o terceiro e o quarto ano me atirei no abismo mais uma vez. Larguei a faculdade, a namorada, abandonei tudo e fui passar parte do ano de 1980 em Nova York. Meu cabelo estava de volta. Minhas asas balançaram, se adaptando aos novos ares, e mais uma vez eu passei um tempo de solidão, de recolhimento e integração, esse tempo natural e inevitável entre o velho e o novo. Aos 23 anos, andar pelas ruas, pelas noites, por museus, concertos e toda a exuberância cultural daquela cidade afetou o meu modo de me ver, de ver o mundo e seus habitantes. A medicina tinha morrido. Mas eu não!

Quando voltei ao Brasil, decidi seguir meu caminho através da música. Foram quinze anos de arte, de convivência com um mundo em que a prática é questionar padrões, olhar além, sentir, expressar, abraçar fortemente as verdades do caminho, dançar a vida com paixão, ir aos limites. As prateleiras do mundo conhecido não guardavam nem uma pequena fração das experiências que faziam parte do meu dia a dia.

Fui inventando minha própria forma de ser, de viver aquelas paisagens. Minha paixão era introduzir as pessoas em um mundo em que a arte poderia ser vivida e praticada por todos, nas medidas de cada um. O desafio era tirar as pessoas de seus padrões seguros e confortáveis, da ideia de que tinham de aprender uma técnica e reproduzi-la de acordo com os métodos existentes. Criei o Livre Ensaio, para mim um templo disfarçado de escola de música, e convidava as pessoas a viver suas próprias formas de se relacionar com a arte e consigo mesmas. Chamei isso de *arte doméstica*, aquela que não necessariamente respeita padrões estéticos, mas se manifesta no dia a dia das pessoas com simplicidade, fluidez, alegria e naturalidade. Meu entendimento era o de que isso resgataria uma dimensão humana essencial ligada à liberdade e à integridade, aspectos fundamentais da felicidade. Era um forte convite à morte dos conceitos que a cultura nos impõe, dos padrões estéticos e sociais, do medo da liberdade, da vida. Entre se lançar na aventura ou se adaptar ao mundo relativo, corre-se sempre o risco de honrar os terríveis deuses do conforto e da segurança e desistir do voo supremo: o próprio voo. A morte do impulso e da coragem de fazer mudanças, de se atirar no abismo, de navegar pelo desconhecido nos leva a um lugar sombrio, sem vida, perigoso para a alma. A morte por mera adaptação ao mundo que nos cerca é brutal, nos fecha os olhos, o coração, nos retira a alegria e o entusiasmo. A esse trabalho me entreguei naqueles tempos. Então, diziam: agora o Plínio está feliz!

Livre Ensaio foi um tempo magnífico, dos meus 25 aos 32 anos. Mas, como sempre, um dia o vento sopra, me convida a mudar, a deixar morrer, a soltar as amarras e confiar na vida. Fechei tudo que se relacionava com minha vida profissional como músico e mais uma vez, como diziam os *vikings*, me lancei ao abismo com as mãos vazias, me entreguei à morte sem certezas. E entrei no tempo que chamo carinhosamente de forno cósmico, tempo de viver e aprofundar a morte das velhas formas, tempo de luto, integração e esquecimento. É preciso esquecer para lembrar. Esquecer quem eu era para lembrar quem eu sou. Me aproximar de mim. O que mais podemos fazer?

Fim de ciclo, solidão, medos, incertezas, sem horizontes, uma caverna escura em algum lugar dentro de mim. Mas eu já sabia. A porta para o novo estava dentro da caverna. A decisão era entrar nela, no mais escuro de mim. Eu era livre para ir a qualquer outro lugar – como Jonas, que, em vez de ir a Nínive para realizar uma grande missão conforme Deus tinha lhe pedido, decide ir a Társis para encontrar amigos e familiares, sem nenhuma missão, e é engolido por uma baleia em sua viagem. Minha Nínive me esperava. Em vez de dar as costas para a escuridão que contém a luz, fiquei na caverna. Foi mais um tempo difícil, que só pude viver com a ajuda da minha mulher, que me sustentou em muitos sentidos e me permitiu estar perdido por dois anos. Como agradecer?

E, assim como o vento vem, ele vai. O forno, em algum momento, assa seu pão. Um dia, minha professora de ioga me pediu para tocar em seu casamento budista em troca de algum curso em sua escola. Aceitei, e foi assim que fiz meu primeiro curso de *reiki*, palavra desconhecida trinta anos atrás. Inesperadamente, aqueles dias de *reiki* foram a porta no fundo da minha caverna. Eu soube ali mesmo que queria me iniciar como mestre e me entregar ao *reiki*. Apesar do sorriso descrente do meu mestre, algum tempo depois ele me aceitou no que chamamos de grau de mestre. Todo o processo de maestria foi tão profundo que, quando o completei, precisei me retirar do mundo antes de começar a ensinar. Mais uma vez, um deserto no meu caminho. Dessa vez, um deserto de fato. Fiz um retiro de três meses no deserto de Sonora, no Arizona, em seu silêncio, sua realidade extasiante, seus mistérios infinitos, e em profundo contato com a natureza e comigo. Foi um tempo de verdadeira iniciação, de experiências desafiadoras e significativas. No Arizona, dei meus primeiros cursos de *reiki*, no começo da década de 1990. Na volta do meu retiro, comecei uma longa e intensa rotina de viagens para dar cursos em diversos países. O mundo se abriu, mas não creio que foi por competência profissional, e sim porque eu havia aceitado o preço que a vida me cobrou para eu andar por ela em suas maiores altitudes e profundidades. Entendo que tudo se manifesta quando estamos em nosso corpo, com nossas sandálias do momento, quando vivemos de acordo com as formas que passam por nós em cada trecho de nossa história. E então as pessoas diziam: agora o Plínio está feliz!

Depois de muitos anos, muitas viagens, muitos atendimentos, aqueles ventos da manhã começaram a me visitar. Eu sentia o cheiro da morte, do meu próximo abismo. Imaginava o que poderia ser, mas o que os indianos chamam de Maha Lilah, o Grande Jogo da Consciência Universal, me pregou uma peça. Fui convidado a fazer um encontro com os enfermeiros do Hospital Israelita Albert Einstein. Aquele encontro trouxe outro. E outro. Quando dei por mim, estava trabalhando no começo do grupo de Medicina Integrativa desse hospital. No ano seguinte, fui convidado a trabalhar no Hospital Sírio Libanês, onde criei o Núcleo de Cuidados Integrativos em 2008. Estava de volta à medicina, trinta anos depois. E, então, os amigos diziam: agora o Plínio está feliz!

Ouço essa frase sempre que faço mudanças e me reorganizo. Não me entendo bem com esse conceito de que a felicidade está condicionada a como estruturamos a vida no mundo relativo, o que fazemos ou conquistamos. Entendo que, assim como o amor, a verdadeira felicidade é incondicional, sendo fruto natural da aproximação comigo, com a minha natureza original. O contato comigo, com a essência da vida, com o real, é a fonte suprema de felicidade. Não somos felizes porque fazemos alguma coisa, mas porque temos consciência de quem somos. E porque respeitamos as leis que regem nossa existência humana. Uma dessas leis me diz que formas nada mais são que circunstâncias finitas do contato com o Infinito. Aí está a morte. E a vida.

De fato, sempre me senti feliz, essa felicidade que dança com a tristeza, como a perfeição dança com a imperfeição, o divino com o humano. Acho que sempre me senti assim porque acolhi a morte e, portanto, a vida. Por instinto e por consciência, permiti que a morte ocupasse seu lugar, manifestasse sua suprema obra de nos levar à vida, através da inevitável renovação das formas. Mudar as formas para continuar em contato com a essência, continuar a ser eu mesmo. Mudar para não mudar. Dançar com a morte em vez de lutar com ela. A dança com a morte é a dança com a vida.

Nota

1. Christopher Logue, "Come to the edge". In: *New numbers*. Londres: Cape, 1969.

A casa vazia

Michelle Bittencourt Braga

Parafraseando Manoel de Barros[1], aquele que é meu artífice de desconcertos e de sobrevivência, o quintal também foi meu mundo. Tenho recordações profundas desse espaço para além dos cômodos. Habitei duas casas morando com meus pais até o início da faculdade, depois segui buscando novas moradas.

No quintal, minha coxia particular, as invenções miravam cenas que movimentavam; eu encenava, por exemplo, uma professora de quem gostava, elucidando seiva bruta, seiva elaborada aos sete ventos, e de quebra tinha meus bichos de estimação como ouvintes; coelhos, peixes, três gatos e seis cachorros. Talvez mais, não tenho certeza de quantos, mas muitos viveram em nosso lar. Penso hoje que a oferta de tanta vida era uma aposta dos meus pais para que eu, filha única, tivesse companhia, posto que ambos trabalhavam demais.

Foi aos 5 anos de idade, pendurada na porta azul estilo camarão da minha pequena segunda casa, que vi nossa miúda Porcina. Morta.

Na ponta dos pés, forcei a panturrilha para alcançar com o olhar o corpo desfalecido, inanimado, flácido, daquela que foi uma das primeiras cachorras a ventilar o amor em casa. Fui atravessada por uma neblina, uma espécie de curiosidade, estranhamento; meus olhos seguiram o corpo adentrando delicadamente um saco preto. Um ponto de horror me extrapassou como uma agrura dura e o impacto foi se transformando numa tristeza sem nome. Porcina foi sepultada na porção do lado de lá do extenso terreno, lugar que seria nossa nova casa, construída anos depois pelo meu pai com ajuda da minha mãe. O protagonismo e a costura narrativa dessa cena vieram da minha doce mãe; recordo fragmentos, no entanto, e foi esse bocado que desenhou um certo tipo de circunspecção da partida.

Palavras de despedida e gratidão puderam circular, meu pai lamentou e disse que teríamos outros bichinhos em breve. Fiquei atenta à sua fala e parecia ser possível substituir a dor da perda. Acreditei, porque assim teria minha Porcina de volta. Sentia muito quando meus bichos morriam ou fugiam; porém, prontamente, meu pai cumpria a função substitutiva e minha mãe era essa presença na cena do cuidado e da despedida.

Tenho uma foto tirada pela minha mãe no quintal da nossa primeira pequena casa. Visão alta, de cima para baixo, e eu na velocidade de um raio pedalando minha bicicleta vermelha com rodinhas, com meu urso de pelúcia na cesta traseira e Porcina na cesta dianteira. Foto que sempre circulava entre nós para falar da minha insistência em correr — a despeito das quedas assim que tirei as rodinhas.

Tenho a impressão de ter experimentado afetos relacionados a perdas ainda muito menina, como quando meus pais precisavam trabalhar e eu ficava com as cuidadoras na casa delas. Assimilava em algum nível a responsabilidade do trabalho e a necessidade da ausência por um período, mas me confrontava com a frustração de me sentir estrangeira em outros quintais. Apesar disso, foi Porcina quem inaugurou em mim, com precisão, o processo de elaboração de um fim.

Bummer foi meu presente de 15 anos. Incumbida desde os cuidados básicos até as distrações necessárias para tanta energia, cumpri parcialmente essas tarefas. Ele acabou sendo mesmo companhia para minha mãe. Todos os nossos bichinhos foram. Aqui, já estávamos na casa construída pelos meus pais e o quintal tinha outra forma, outro litoral. Fiquei eufórica com aquela miniatura desastrada, peluda e engraçadinha, mas só depois pude compreender que o arrebatamento também dizia respeito àquilo que eu lia no olhar dos meus pais.

Para além da transmissão familiar e das trocas verbais, que constantemente traziam equívocos e muito sofrimento do laço conjugal, eu carregava uma leitura apurada do olhar parental. Isso foi de grande valia para me separar minimamente deles nesse contexto de amargura. Li, então, naqueles olhos e aos 15 anos, que a adulta que já me habitava desde muito menina poderia ter escolhas reconhecidas e não mais não ditas.

Percorri um caminho longo na leitura desse olhar parental, e muitas vezes, com grande angústia, concluía o sentido. Um ponto de compreensão, e de virada, se deu no tempo em que testemunhei sofrimento profundo dos meus pais quando meus avós morreram. Vi minha mãe desolada. Nunca vi meu pai chorar tanto. Ambos permeados por um vazio, "essa incompreensível contradição entre a lembrança e o nada"[2].

Meus pais perderam seus pais.

Outras paradas foram possíveis a partir da graduação. Novos quintais e, a cada escolha que fiz, tornei-me mais familiar a mim. A psicologia e a psicanálise fizeram parte dos desejos, segui na clínica e no hospital; ainda no cursinho, me aproximei do teatro, e na graduação pude ampliar meu quintal para o tablado, como um "ser-para-a-arte"[3]. A relação com o teatro resiste há quase quinze anos, e foi na coxia, junto aos meus, que aprendi a segurar a dor com a mão e transmitir coragem e amor. Atuar em meio ao luto foi potente e me salvou algumas vezes. Duas.

Estava no meio da pós-graduação em psicologia hospitalar, estudando a clínica de queimados com crianças, quando tive notícias da tentativa de roubo que culminou no assassinato do meu pai. Amigos, colegas, família, todos ali nos cinco dias em que meu pai esteve na UTI. O impacto foi visceral. Bummer fugiu de casa e morreu depois de ser violentamente atacado por um cachorro maior. A tristeza tomou conta dos cômodos.

As lágrimas molham ao tentar descrever quem foi minha mãe nessa caminhada. Um traço forte de generosidade, um outro tanto de disponibilidade e certa melancolia disfarçada em meio sorriso, seu quintal sempre foi o de dentro e o "vocábulo nem sempre foi sua âncora"[4]. Anos depois, sete, para ser mais precisa, estava eu, mais uma vez, numa unidade de terapia intensiva, agora com a minha mãe, após sua tentativa de suicídio. Foram três dias. Foi "o segundo luto"[5].

Meus pais, mortos.

Nas duas despedidas, me vi engolida por burocracias. O desamparo foi largo. Apesar de a caminhada ter sido solitária, e só minha, não estive sozinha; "o cuidar trata da dor, do sofrimento e da solidão"[6], e laços profundos de amor foram testemunhas legais e inimagináveis nos múltiplos rituais. Desde o cuidado digno na unidade de terapia intensiva, no reconhecimento dos corpos, inanimados, flácidos, frios, até o momento de delicadamente serem velados e enterrados do lado de lá.

A casa ficou vazia.

De forma dura a orfandade invadiu minha casa. Fiquei do avesso e me vi nessa travessia de um deserto de significantes.

A necessidade de cuidar do que ficou quando eles partiram bateu à minha porta. Habitada pela tristeza bem no fundo de mim e acompanhada por meus tios, rumei para a casa dos meus pais para materializar "o inventário das coisas ausentes"[7].

Com uma dor lancinante, adentramos a casa vazia. Cada cômodo gritava lembranças. Em dez mãos, num ritmo em que não couberam longas pausas, pusemo-nos a tocar os documentos, os objetos, a memória, a intimidade dos meus pais. Igualmente dedilhamos resíduos, destroços, resquícios e os restos. Recolhi fragmentos da herança familiar, sorrisos, retalhos de segredos, vestígios de lágrimas dos meus tios, aqueles contemporâneos de uma boa, sofrida e desafiadora juventude. Minha mãe migrada do Nordeste e meu pai do Sudeste, ambos provindos de atividades intensas na zona rural. Jovens de tudo.

Todos nós perdemos fortemente.

O luto não deu descanso.

Com lágrimas nos olhos, a garganta amarrada, fechamos a porta da sala e subimos uma pequena escada em direção à rua, apinhados de alguma parte do todo. Sabíamos que seria nossa última vez, juntos, ali, naquela casa construída pelos meus pais e que cada um pôde obrar em algum momento do período, longo, de construção. Foram oito horas dando destino aos objetos e às lembranças. Quatrocentos e oitenta minutos de muito respeito com o que ficou.

O instante marcou-passo das lacunas, do vazio e de uma certa presença nas palavras. A travessia desse dilúvio de sentidos convocou paciência e generosidade; nem todo luto é uma luta, é um lidar.

Na brecha do efeito rompante de estar só no mundo, inferi que era tempo de reabrir a casa: *o referido lote encontra-se inscrito no cadastro de contribuintes da Prefeitura do município de São Paulo, sob nº [...] Abaixo do nível da rua — casa constituída por 6 cômodos, sendo uma cozinha, um banheiro, uma sala, 3 quartos, desses uma suíte e um quarto inacabado (cômodo fechado). 3 corredores, sendo um deles a área de serviço. Duas escadas laterais que dão, ainda, para o terreno dos fundos, nível abaixo, sem construção. No nível da rua — construção inacabada; garagem para dois carros, dois quartos, sendo uma suíte, cozinha e sala. Uma escada lateral leva para a casa principal. No lado oposto e simétrico, espaço potencial para construção de uma escada.*

A casa inacabada.

O corretor de imóveis, atento à minha descrição, acompanhou meu passo e me fez algumas perguntas com certa suspeita. Questionou se a casa poderia ter sido construída e pensada por um homem como meu pai, sem formação técnica. O tempo fez uma pausa, em que me debrucei nas lembranças profundas de cada tijolo, cada sapata, cada pedaço milimetricamente construídos com muita destreza, suor e força. Ao final, com a voz embargada, estava, mais uma vez, muito próxima dos traços seguros da minha história e buscando o "caminho das palavras para chegar à letra"[8], para que as palavras pudessem encontrar um destino possível.

Foi pelas bordas do trauma e da dor que a costura e os pontos das minhas palavras puderam ser letras para ocupar cada espaço vazio no meu ser. A casa já não está desabrigada e a escrita pode fazer litoral.

Nesse percurso, aprendi a não me demorar nos laços nos quais não há abertura para ir além dos cômodos, os estigmas não me interessam. Embora a costura do luto tenha sido, e ainda seja, um bordar diário entre o dentro e o fora, a minha casa, em algum momento, precisou ser habitada por mim.

Traçando a linha, de trás para frente, de quando a morte chega em casa, foi pela janela da alma que pude ver o horizonte, meu quintal.

Notas

1. Manoel de Barros, *Meu quintal é maior do que o mundo*. Rio de Janeiro: Objetiva, 2015, p. 149.
2. Marcel Proust, 1957, citado por Roland Barthes em seu *Diário de luto*. São Paulo: WMF Martins Fontes, 2011, p. 156.
3. Antonio Quinet, *O inconsciente teatral. Psicanálise e teatro: homologias*. Rio de Janeiro: Atos & Divãs, 2019, p. 53.
4. Evandro Affonso Ferreira, *Minha mãe se matou sem dizer adeus*. Rio de Janeiro: Record, 2010, p. 33.
5. Roland Barthes, *Diário de luto*. São Paulo: WMF Martins Fontes, 2011, p. 142.
6. Karina Okajima Fukumitsu, *Suicídio e luto — Histórias de filhos sobreviventes*. São Paulo: Digital Publish e Print, 2013, p. 298.
7. Carola Saavedra, *O inventário das coisas ausentes*. São Paulo: Companhia das Letras, 2014.
8. Barthes, *op. cit.*, p. 107.

As três mortes da minha vida

Tom Almeida

A *morte entrou* pela minha porta três vezes no período de três anos. Ela veio para levar Maria de Lourdes, minha mãe, Eduardo, meu primo-irmão, e Getúlio, meu pai. Em cada visita a recebi de uma maneira diferente. Digo "diferente" porque a cada morte fui me transformando; partes de mim morriam e outras nasciam. Ela, a morte, foi me convidando a criar outro tipo de relação. Aprendi que se eu a tratasse com menos temor, talvez ela conseguisse ser mais gentil comigo; que se eu a olhasse de frente e admitisse a sua presença, ela permitiria que outros sentimentos importantes – como amor, intimidade, pertencimento, conexão e gratidão – fizessem companhia ao medo e à dor. Aprendi também sobre a minha incapacidade de controlá-la e sobre a minha capacidade de promover diferentes formas de conforto. A morte foi se apresentando como minha professora.

A negação de que todos morremos e a luta a qualquer custo pela sobrevivência trazem muito mais sofrimento, em todas as dimensões: sofrimento físico, emocional, espiritual, social e familiar. E nós não queremos falar, pensar ou lidar com a morte. Seja a nossa própria ou a do outro. Não toleramos esse assunto e, assim, o varremos para baixo do tapete. E, mesmo que queiramos falar sobre a morte, não sabemos como, não fomos educados para isso. Nos sentimos muito desconfortáveis. Só que esse estado de negação é profundamente nocivo lá na ponta, quando chega a hora. A nossa ou a de quem a gente ama. Mas é possível tornar tudo menos difícil.

O Brasil é um dos piores países para se morrer. Morre-se por falta de atendimento em hospitais sem estrutura ou, ainda, se morre sem conforto algum, pela insistência em tratamentos invasivos e com pouco ou nenhum custo-benefício. Médicos e familiares insistem em tratamentos extremamente invasivos e sofridos, mesmo quando as chances de melhora ou cura são mínimas ou nem existem. Não por mal: erramos tentando acertar. Erramos sem saber que estamos errando. Que tipo de informação está faltando?

Ao delegarmos às equipes de saúde a responsabilidade pelas decisões de fim de vida, nossa ou de entes queridos, abrimos mão da nossa autonomia, da nossa compreensão de dignidade — única e intransferível. As religiões, que sem dúvida podem ajudar, e muito, aqueles que as cultuam, por vezes inibem o senso crítico, e tudo passa ao campo da fé e à espera passiva de um milagre. Mas sabemos que não é assim: precisamos nos apropriar da nossa vida — e também da nossa morte. Não cabe mais continuarmos reféns e sem autonomia nos momentos de maior fragilidade da nossa história. Foi o que aprendi ao viver as três mortes mais impactantes da minha existência.

Ao pé do leito da minha mãe, eu não fazia ideia dos desejos, necessidades e medos dela. Tampouco conhecia os direitos do paciente e dos familiares. Essa foi a primeira vez que a morte bateu à minha porta. Ela fez o que quis comigo, eu fui apenas submisso a ela. Nós, familiares, ficamos ali de mãos atadas, achando que era assim mesmo que se morria, que todas aquelas dúvidas e o sentimento de impotência eram inerentes ao processo. Três anos depois, o que a nossa família passou com a morte do meu pai foi uma experiência completamente diferente: nos apoderamos dos nossos direitos e pudemos conduzir a situação. Mas isso só foi possível por causa da jornada percorrida a partir da morte da minha mãe e, nesse ínterim, veio o processo de perda do Du, o meu primo-irmão. O fato de meu pai ter morrido com mais dignidade está diretamente ligado à minha aprendizagem nesse processo — e é ele que eu vou compartilhar aqui.

Um pouco antes da morte da minha mãe, o Du já estava vivendo o maior desafio da existência dele. Aos 38 anos, recebeu o diagnóstico de colangite esclerosante primária, uma doença rara que compromete o fígado. O quadro evoluiu para um câncer no mesmo órgão.

Entre o diagnóstico, o tratamento, a terminalidade e a morte do Du, foram três anos e três meses muito desafiadores. Às vezes parece que foi tudo rápido demais, às vezes parece que foram longas horas, dias, semanas. Hoje eu sei que tudo poderia ter sido diferente. Se ele estaria vivo? Talvez não. Mas poderia ter passado por tudo aquilo com mais conforto, e até mesmo por mais tempo. Infelizmente, não foi isso que aconteceu.

Existe um conhecimento sobre a dignidade humana, o controle da dor e um olhar para o paciente além da doença que ainda está restrito a um número muito pequeno de profissionais de saúde. A medicina atual, na grande maioria das vezes, ainda está voltada para a cura a qualquer custo, com foco na doença, em um pedaço específico do corpo. Desconsidera o fato de que cada paciente e cada familiar têm diversas dimensões, uma série de particularidades. Podemos tentar entender o motivo: falta de conhecimento, medo, ego, honorários? Um pouco de cada coisa? Talvez a gente não consiga encontrar uma resposta exata para essas perguntas, mas o resultado disso é uma conduta que ignora ferramentas de manejo de dor e promoção de conforto.

Por sorte, aos poucos esse cenário vem mudando, com um sensível aumento de profissionais que se dedicam aos cuidados paliativos. Pela definição da Organização Mundial da Saúde, eles constituem uma abordagem multidisciplinar que deve ser iniciada no momento do diagnóstico de uma doença ameaçadora de vida. Necessariamente terminal? Não. De maneira única e exclusiva? Também não. Em geral, doenças ameaçadoras de vida são problemas complexos e não se deve excluir nada que possa ajudar. O que importa é que o paciente seja prioridade e a relação custo-benefício de cada intervenção seja sempre ponderada.

Esse é um processo lento por vários motivos. Entre eles, o fato de as discussões sobre saúde ainda ficarem muito restritas a profissionais da área quando, na verdade, dizem respeito a todos nós, a cada cidadão. Precisamos discutir os nossos limites de dignidade. Ter clareza do que queremos e do que não queremos. Só podemos avançar com informação. Acredito que a sociedade civil precisa tomar para si essa luta e acelerar essa caminhada pela garantia dos nossos direitos.

O Du, o meu primo-irmão, teve um péssimo suporte de controle de dor durante quase todo o tratamento. Houve dias em que ele chegou a dormir em pé, apoiado em uma cadeira, pois não encontrava mais posição na cama. Ele não era mais ele: havia sido transformado em doença, em protocolo. Como não havia cura, já ia mesmo morrer. É como se dessem de ombros. Como se houvesse um limbo entre o diagnóstico de uma doença incurável e a morte. Como se não fosse possível cuidar, proporcionar conforto e amenizar sintomas nesse período.

A biografia e a dignidade dele haviam sido amassadas e descartadas. A voz dele foi ficando cada vez mais ressentida. E ele não era assim. O Du me dizia: "Os médicos sempre acham que estou melhor do que realmente estou. Eles não têm noção, eles não sabem". Ele não se sentia ouvido, respeitado. O Du se sentia só no momento de maior fragilidade já experimentado por ele na vida.

À medida que a doença avançava e os desafios se multiplicavam, crescia também o nosso nível de intimidade. Fui descobrindo em mim uma capacidade que eu desconhecia até então: a de sustentar um espaço para que o Du pudesse falar com profundidade sobre as angústias, medos e vontades dele. Fui entendendo o meu papel ali. Passei a fazer perguntas que instigavam a reflexão, oferecendo diferentes perspectivas e sem julgamentos. O elefante estava na sala — no quarto do hospital, no caso — e todo mundo tentava fingir que ele não existia. E eu decidi escutar. Porque sou especial? Não. Mas porque acho que cada um que decide olhar para a morte passa a ocupar um espaço diferenciado, passa a ser uma peça fundamental de auxílio ao outro.

Para ele, os cuidados paliativos chegaram já na fase final da vida. Tarde demais? Nunca é tarde para cuidados paliativos, mas também nunca é cedo demais quando se trata de uma doença grave e que causa sofrimentos múltiplos. Logo no primeiro contato com a equipe, a dor que o atormentava durante todo o processo da doença foi embora. Assim, de imediato. Aquela dor crônica que ele sentia desde sempre, que o impedia de dormir, comer ou se relacionar bem, simplesmente sumiu. A solução estava ali do lado dele, desde sempre, a poucos corredores daquele quarto. Fazia dois anos que o Du circulava por todos os hospitais e essa solução nunca havia chegado até ele. Apesar do grande alívio, veio uma revolta muito grande! Não tinha como não vir... Por que demorou tanto? Por que só agora?

A primeira vez em que o Du me deu a oportunidade de falarmos sobre a morte dele foi relatando uma conversa que ele teve com a filhinha, a Duda. Conversamos:

— No fim do ano dei um boneco de silicone... um policial fardado. Tinha ganhado no serviço e resolvi dar para ela brincar... uns dias depois me falou: "Eu gostei do boneco porque quando você virar estrelinha ele vai me lembrar você". Além de segurar o choro, fiquei até que contente que a frase tenha saído calmamente dela. Agora, como ela vai encarar depois... aí já é outra fase.

— Que lindo e que difícil ouvir isso, Du. Realmente ela é muito especial, assim como você, né? Ela está processando e criando mecanismos de proteção. E você, como está encarando esse dia em que vai virar estrelinha? Tem como se preparar para isso?

— Tom, eu acho que pronto nunca vou ficar, mesmo me preparando como estou. Para o "partir" já me preparei, e estou relativamente bem com isso. Meu pânico, que tento afastar da minha mente o tempo todo, é *como* será essa "passagem" ou "fim". Tenho pavor quando vejo casos em que o doente sofre muito e dá muito trabalho... por longo tempo. É só para isso que não consigo me preparar.

Quando tivemos essa conversa, ainda não tínhamos conhecimento sobre cuidados paliativos. Foi tudo muito intuitivo. Tempos depois, voltamos a ter mais uma conversa sobre desejos e temores no fim da vida dele. Foi por mensagem e ele gravou alguns áudios para mim. A conversa terminou com um pedido muito importante.

— Por favor, seja meu advogado, me proteja.

O medo que se apresentava não era mais da morte, mas sim da forma como seria cuidado. Deixar que alguém naquelas condições sentisse esse tipo de receio era cruel. Ninguém deveria sofrer esse tipo de medo. Era um grito oculto de quem temia ser abandonado. Aquilo partiu meu coração. Mas foi ali que ele conseguiu desaguar todos os sentimentos, pedidos e decisões: pediu que não o deixássemos sofrer, que sua vida não fosse estendida sem necessidade; e também expressou que autorizava a sedação.

As últimas semanas da vida do Du foram dentro de um hospital, no verão da sempre quente cidade de Bauru, no interior de São Paulo. Eu, por vezes, assumi o lugar de acompanhante. Não foram necessárias mais do que duas noites para que eu ficasse completamente exausto, emocional e fisicamente. Eram médicos e enfermeiros que entravam sem a menor sensibilidade naquele ambiente, com uma quantidade de intervenções completamente dispensáveis naquela altura do campeonato. Eles sabiam que o Du estava morrendo, mas a rotina parecia ser a mesma de um paciente em processo de recuperação de uma cirurgia. Se eu estava irritado e com raiva daquela rotina toda, não consigo nem imaginar como o Du se sentia. Minha vontade era de partir para uma discussão, mas lembrei que ele havia me pedido para ser seu advogado, protegê-lo. Tive um minuto de sanidade e me debrucei sobre um caderno. Escrevi um bilhete e colei a folha de papel com um esparadrapo bem na porta do quarto:

Oi. Eu sei que você está fazendo o seu trabalho — e sou muito grato por isso. Muito grato mesmo. MAS, preciso muito descansar. Você vai me ajudar ainda mais se:
Só entrar se for realmente necessário;
NÃO bater na porta;
Entrar em silêncio, falando baixo;
SÓ me acordar se precisar mesmo;
SÓ acender a luz se for fundamental. A luz indireta não me incomoda.
Posso contar com a sua ajuda? Obrigado!

Quando a morte chega em casa

Assinei em nome do Du e desenhei um rostinho mandando beijinhos e três corações. Parece que foi mágica. A energia do quarto e a forma como as pessoas entravam e se relacionavam com o Du foram transformadoras. Uma iniciativa simples com um impacto gigante.

Em uma outra manhã, ainda naquela mesma semana, saí do hospital para tomar um banho e descansar um pouco. Quando voltei, logo percebi que ele estava diferente, muito triste. Estava cada vez mais magro e fraco — e ainda tinha algo além. Perguntei o que estava acontecendo e descobri: a esposa dele, a Pri, pediu para ajudá-lo a tomar banho. E aquilo havia sido muito difícil para ele, que se sentiu incapaz e humilhado. Conversamos bastante sobre isso. Ouvi e busquei acolher os sentimentos, validar aquela dor. Os meus olhos aqui cheios d'água, os dele ali igualmente. O Du ainda estava vivo, mas, naquele dia, foi a morte da autonomia dele. Não era o caso de dizer um "imagina, deixa disso", mas de reconhecer aquele luto. Esperei que ele enumerasse todas as dores. E dividi com ele outras sensações que aquela história foi me trazendo. Ofereci mais uma lente pela qual ele também poderia escolher olhar. Não se trata de romantizar aquele sofrimento, mas o que eu vi foi também uma profunda declaração de amor da Pri para o marido. Uma conexão profunda de intimidade e amor que talvez grande parte de nós jamais venha a sentir. Para mim, aquele ato era sagrado. Vi as lágrimas escorrendo do rosto do Du. Agora tínhamos uma visão 3D daquela situação.

No dia seguinte, repeti a mesma sequência: saí do hospital para tomar banho e descansar. Quando voltei, encontrei uma nova pessoa, com sorriso de orelha a orelha. Perguntei o que houve e ouvi de volta: "A Pri me deu banho". Era como o efeito de um prisma: a luz que incidia branca por um lado acabou por sair multicolorida do outro. Tudo continuava duro e difícil, mas também com uma sensação nova e boa; um novo frescor. Ele estava grato pela oportunidade de sentir todo aquele amor. E eu quis saber mais:

— E você contou isso pra Pri?

— Não.

— Liga pra ela, conta o que está sentindo. Vai ser importante pra vocês dois.

Saí do quarto e assim ele fez. Foi a última conversa dos dois enquanto ele ainda estava plenamente lúcido. Também foi a última vez que ele falou com a Duda, a filhinha.

Mais uma noite virou e um dos últimos sóis do Du surgiu no céu. Acordamos cedinho e ele fez questão de ir ao banheiro sozinho, enquanto eu fiquei do lado de fora, colado à porta, apreensivo. Ele saiu já meio desnorteado do banheiro e balbuciando: "Vai começar, vai começar..." É que ele já sabia reconhecer os sintomas da septicemia, a famigerada infecção generalizada. Para o Du, ela se manifestava em forma de febre altíssima, com calafrios violentos. Eu já havia presenciado essa situação uma vez, quando o acompanhava em uma troca de drenos. Chamei a enfermagem, pedi muitos cobertores e remédio para controlar a temperatura. Não foi fácil, mas senti que, mais uma vez, o meu papel era o de sustentar o espaço, de encarar. Abracei o Du e senti aquele corpo inteiro tremer, de cima a baixo. Um corpo cada vez mais frágil, cada vez mais pele, cada vez mais osso. Eu passava as mãos nas costas dele e tentava aquecê-las. Fiz uma respiração profunda, lenta e bem alta, na esperança de induzi-lo a me acompanhar e a se acalmar. Eu repetia: "Confia e entrega, confia e entrega". E assim fomos durante toda essa crise, que deve ter durado uns quinze ou vinte minutos, mas mais parecia uma eternidade. Ele adormeceu. Dali em diante, os momentos de lucidez foram se tornando cada vez mais raros. Eduardo Alferes morreu em 29 de janeiro de 2017, aos 41 anos, uma semana depois desse episódio. Aí a morte não precisou bater na porta. Ela já estava presente.

Uma companheira,
muitas histórias...

Juliana Martins de Mattos Gonnelli

Como já dizia nosso saudoso e tão querido Rubem Alves, morte e vida não são inimigas, são irmãs. Recentemente, num encontro online do Death Café Carioca, de cuja coordenação faço parte, meus pais me recordaram lindamente do quanto essa verdade esteve tão pungentemente presente desde os primeiros dias da minha vida. Naquele instante fugaz que logo escorreu pelas areias incessantes da ampulheta que todos nós carregamos, eu soube que estavam nascendo estas palavras que trago aqui e que desejo que se eternizem e me eternizem quando eu me for um dia... Como também nos diz o Rubem, "escrever é o meu jeito de ficar por aqui. Cada texto é uma semente. Depois que eu for, elas ficarão. Quem sabe se transformarão em árvores! Torço para que sejam ipês-amarelos..."[1] Naquele instante compreendi ainda mais fortemente que a morte estava lá como minha companheira desde sempre. Nascimento, morte, chegada, despedida, muitas histórias, reticências...

Meu avô materno, Caio Martins (é importante pronunciar o nome para homenagear nossos antepassados), sensível, romântico, apaixonado, sonhador, idealista, amoroso e que gostava muito de escrever, morreu de tuberculose quando minha mãe tinha apenas 1 ano de idade. Minha mãe também foi marcada pela presença da morte em tão tenra idade e quem assumiu essa função paterna foi seu avô materno, meu bisavô João Fulco Rocha, um homem muito simples, tímido, espírita fervoroso e dedicado, humildemente sábio, carinhoso, bondoso; levou minha mãe ao altar no dia de seu casamento, o que não havia feito com a filha, minha avó Luiza, pela sua timidez. Quando minha mãe estava grávida de sete meses, meu bisavô já estava muito doente e lamentava com ela que não veria sua primeira bisneta nascer, mas minha mãe assegurava a ele que sim, ele veria meu nascimento. Estaria ele apenas aguardando meu nascimento para partir? Queria ele ter essa alegria ou queria ele dar mais essa alegria cheia de orgulho à minha mãe? Nunca saberemos, mas talvez as duas coisas fossem uma só.

E eu nasci de sete meses, moderadamente prematura, com dois quilos e novecentos gramas, de parto normal, sem nenhuma complicação decorrente da prematuridade. Cabia numa caixa de sapatos. E minha mãe pôde então me apresentar a meu bisavô, que me viu e se encantou. Quatorze dias depois ele partiu, e foi nesse mesmo Death Café que meu pai revelou que suas últimas palavras, seus últimos suspiros, foram na companhia dele. Perguntei a meu pai, então, quais tinham sido suas últimas palavras, e ele me contou que foram um pedido, um pedido para que ele cuidasse de nós, de mim e de minha mãe.

Meu bisavô não gostava de elevador e por isso minha mãe só permitiu que descessem com ele pelas escadas. Como ela tinha acabado de me dar à luz, não pôde participar do velório nem do enterro. Assim, meu nascimento foi marcado pela partida de meu bisavô e minha mãe foi preenchida de contrários: alegria pelo meu nascimento, por se tornar mãe, tristeza e luto por ter perdido seu avô/pai, que ela tanto amava e que era tão amado por toda a família.

Assim a morte chegava em casa, e acredito que essas lembranças, mesmo que não sejam conscientes, pois eu era apenas um bebê de 14 dias, estejam gravadas em minha memória celular, pelos afetos presentes e vividos, sorrisos, lágrimas, despedida, sepultamento, celebração, mulheres enlutadas. Meu nascimento também possibilitou um momento histórico, registrado em uma fotografia com uma legenda e guardado num álbum de família: "Minha neta, dá cá sua neta", disse minha tataravó (ou trisavó) para minha avó.

Quando a morte chega em casa

Desde então, Ela esteve sempre presente, seja nessa perda tão marcante no meu nascimento, seja no meu interesse pelo tema, que já fazia parte das minhas conversas preferidas com os amigos na adolescência, atravessou minha escolha e possivelmente até promoveu, inspirou, determinou, movimentou, ocasionou, traçou, enriqueceu toda minha trajetória profissional. Quando escolhi começar um trabalho com crianças e adolescentes com infecção pelo HIV, em 1995, durante meu segundo ano de estágio, no fim da faculdade, e já apaixonada pela psicologia hospitalar, disseram-me, horrorizados, que escolher esse trabalho seria escolher trabalhar com a morte, como se fosse algo abominável e incompreensível. Mas isso não me abateu ou amedrontou, muito pelo contrário: fazia total sentido, já que, para mim, vida e morte nunca foram inimigas, sempre foram irmãs.

Um dia, dando uma das inúmeras palestras que já dei sobre o meu trabalho com crianças e adolescentes com doenças ameaçadoras da vida, um rapaz me fez uma pergunta que nunca esqueci: qual era o meu ensinamento nesse trabalho, do que a morte me falava, como trabalhar tão próximo dela me impactava. E eu respondi sem titubear que a morte sempre me ensina sobre o tempo, que ele é finito, que ele pode acabar de maneira repentina ou anunciada e que pode ser precoce ou tardiamente, mas ele acaba; a vida pode acabar em um segundo, a vida é sempre por um triz, por isso é tão preciosa; e que é preciso vivê-la intensamente como se não houvesse amanhã. Sim, essa frase pode parecer um clichê e ser vazia de significado se não for compreendida profundamente. E é o que tenho procurado fazer ao longo de toda a minha vida: entender o que isso significa para mim e ouvir o que Ela sussurra nos meus ouvidos o tempo todo, todo o tempo.

Aos 50 anos de idade, ainda me sinto uma aprendiz na arte de viver. Penso na minha ampulheta e por vezes me angustia perceber as areias correndo tão depressa. Mas sinto que se não tivesse sido "tocada" por Ela, se não tivesse "escolhido" caminhar tão lado a lado com a morte, possivelmente minha vida teria sido muito mais

(101)

esvaziada de sentido e de realizações. Quando penso nisso, sinto uma profunda gratidão por tudo que já me permiti viver, conhecer, crescer, libertar, soltar...

Neste exato momento, percebo sua presença aqui ao olhar pela janela e deixar o sol entrar, ao ver o vento balançando as folhas da palmeira, as cortinas nas janelas dos vizinhos. Ela está me dizendo: vem, a vida está sempre à sua espera, *tempus fugit*... Como tão sabiamente também nos aconselhou Rubem Alves.

Pensando em toda a minha trajetória de vida, penso que não foi à toa que me tornei umas das coordenadoras do Death Café aqui no Rio de Janeiro e que ele nada mais é do que as conversas que eu já tinha com meus amigos na adolescência sobre a morte. Uma das minhas maiores alegrias é que esse espaço de conversas despretensiosas, sinceras, honestas sobre a morte, movidas pelo simples desejo de compartilhar impressões, percepções, fantasias, temores, dores, alegrias, tristezas, alívios, lembranças, risadas e tanto mais, tenha se tornado um espaço em que meu pai, hoje com 81 anos e tão ressentido do envelhecimento e amedrontado com a proximidade da morte, tenha encontrado alento, tenha encontrado motivação, tenha encontrado pares, tenha encontrado um lugar de partilha de suas histórias, de seus sentimentos, seus medos, suas revoltas, mas também de suas pérolas, de suas músicas e poesias.

E assim parece que tudo faz sentido, um ciclo que se fecha, um caminho que se confirma e se ilumina, dia após dia. Por isso uma companheira, a morte, e muitas histórias, as minhas, as de minha família e meus familiares, mas — também e tão importantes quanto —, as de meus pacientes, que me devolvem a essa ciranda. São eles que, tão próximos da morte, mais me ensinam e me desafiam a transformar histórias de dor e de amor em aprendizado, em palavras, em sementes a ser plantadas. Eles são minha *chosen family*, como na música da Rina Sawayama com o Elton John que escuto agora.

Desde que comecei a rascunhar estas palavras mentalmente, uma das histórias que me compõem não me sai da cabeça, uma das mais lindas que tive o privilégio de testemunhar e de acompanhar, uma história como a minha, de nascimento e morte separados por poucas horas, uma história de dor, de cuidado, de amor, de perdão, de resgate, de refazimento e reconstrução de laços. A história de um jovem paciente, gravemente adoecido pelo câncer, que morreu nos braços do pai – com quem pôde, em seus últimos dias de vida, resgatar laços estremecidos pela separação dos pais e pela distância física. Com uma diferença de poucas de horas de sua partida, sua mãe deu à luz o irmão que ele não conheceria, mas cujo nome havia escolhido. Essa também é a história de uma mãe que perde um filho no mesmo momento em que ganha outro filho, com a diferença de poucas horas. Também é a história de uma família que se refez, que se perdoou, que se reaproximou. Esse bebê recém-nascido, irmão desse meu jovem paciente, fruto da união do segundo casamento de sua mãe, foi batizado por seu pai e sua segunda esposa, que tinha um filho com quem ele havia criado laços à distância através de um jogo no computador que jogavam juntos, sem terem se conhecido pessoalmente até poucos dias antes de sua morte. Essa também é uma história que tive a honra de acompanhar; pude ajudar no enfrentamento dessas dolorosas e delicadas despedidas, e ajudar nos encontros e reencontros.

Uma companheira, muitas histórias... Histórias que se encontram, se entrelaçam, se atravessam, se compõem, se misturam, se separam, se despedem... Minha história sendo escrita em encontros e despedidas. Nessas histórias, minha companheira Morte sempre a me aconselhar, me alertar, me inspirar, me traduzir, me assustar... Sim, Ela pode ser a ceifadora impiedosa, mas só se não soubermos escutar sua voz a nos dizer não sobre si própria, mas sobre a sabedoria de viver. Viver esse intervalo que todos recebemos no instante em que nascemos, um presente, uma estrada para trilhar, curta ou longa, não sabemos, só sabemos que um dia ela acaba e que estamos todos caminhando em direção a Ela, inexoravelmente. No momento em que nascemos, recebemos uma ampulheta para girar uma única vez, e as areias começam a correr sem cessar. O tempo vai escorrendo pelas mãos e não conseguimos fazê-lo parar... O que estamos fazendo com nosso intervalo? Rubem também nos indaga:

> O que é que você está esperando? Como se a vida ainda não tivesse começado... Como se você estivesse à espera de algum evento que vai marcar o início real da sua vida: se formar, se casar, criar os filhos, se separar da mulher ou do marido, descobrir o verdadeiro amor, ficar rico, se aposentar... Como se os seus instantes presentes fossem provisórios, preparatórios. Mas eles são a única coisa que existe...[2]

E como tudo que nasce está destinado a morrer, encerro estas palavras com a expectativa de que meu breve relato possa sensibilizar você, caro leitor, para a ideia de que a Morte pode ser uma boa companheira, uma boa conselheira, uma boa amiga, que não nos ilude, que nos ensina, nos instiga, nos desafia, nos desperta, nos sacode, nos impulsiona, nos convida à sabedoria de viver, nos convoca a assumir protagonismo diante da vida e das escolhas que estamos fazendo enquanto as areias estão correndo, por que elas estão correndo, estejamos nós conscientes disso ou não. E da mesma forma que comecei com ele, quero também finalizar com suas palavras, essas que me são tão caras e o eternizaram nesse legado inestimável que ele deixou para nós.

> A vida começa com uma chegada. Termina com uma despedida. A chegada faz parte da vida. A despedida faz parte da vida. Como o dia, que começa com a madrugada e termina com o sol que se põe. A madrugada é alegre, luzes e cores chegam. O sol que se põe é triste, orgasmo final de luzes e cores que se vão. Madrugada e crepúsculo, alegria e tristeza, chegada e despedida: tudo é parte da vida, tudo precisa ser cuidado. A gente prepara, com carinho e alegria, a chegada de quem a gente ama. É preciso preparar também, com carinho e tristeza, a despedida de quem a gente ama. Os orientais sabem mais sobre isso do que

nós. Sabem que os opostos não são inimigos: são irmãos. Noite e dia, silêncio e música, repouso e movimento, riso e choro, calor e frio, sol e chuva, abraço e separação, chegada e partida: são os opostos pulsantes que dão vida à vida. Vida e morte não são inimigas. São irmãs. Chegada e despedida... Sem a frase que a encerra a canção não existiria. Sem a morte, a vida também não existiria, pois a vida é, precisamente, uma permanente despedida.[3]

Notas

1. Rubem Alves, "Os ipês-amarelos", *Folha de S.Paulo*, 24 ago. 2010, Cotidiano.
2. Rubem Alves, *O médico*. 3. ed. Campinas: Papirus, 2002, p. 68.
3. *Ibidem*, p. 53.

Para levar a vida bem há de se levar a morte também

Ricardo Gonzalez

A gente devia pensar mais na morte. Não em seus aspectos que nos fazem sofrer, que nos paralisam. Mas simplesmente tê-la no nosso radar, como temos... a vida. Afinal, nada é eterno, e essa vida que tanto amamos não pode ser pensada sem a morte. Refletir sobre a morte sem medo dela, por mais contraditório que pareça, pode nos fazer viver melhor. Se nossa inexorável finitude estivesse mais entranhada na nossa alma, não perderíamos o tempo que perdemos com pequenices: pequenas brigas, pequenos egoísmos. Não nos venderíamos ou violentaríamos por dinheiro, poder, política, por guerras. Poderíamos, em vez disso, amar mais, sorrir mais, desnudar-nos mais para quem nos merece — no meu caso, por exemplo, minha esposa, Luciana, cujo sobrenome é... Boamorte (palavra que tem "amor" no meio). Aproveitaríamos, enfim, o que a vida nos oferece de melhor, porque ela é curta. E a morte, quem sabe, pode ser para o resto da vida.

Uma noite em 1986, aos 21 anos, flagrei-me em estado pleno de felicidade. Cursava a faculdade que escolhera, ainda não trabalhava, estava muito bem com a namorada, pais que sempre me deram todo o suporte ainda que com sacrifício, saúde de vento em popa. Caiu-me, então, a primeira ficha. Não exatamente sobre a morte, mas sobre sua representação em forma de dor, de dificuldade, de infelicidade. "Não é possível, está tudo bom demais. Eu não sinto nenhum sofrimento. Isso não vai durar pra sempre. Tenho de estar pronto para quando os problemas aparecerem, porque uma hora virão pesados." Premonição fácil. O destino só não precisava ter exagerado.

Desde aquela noite, passei a viver ainda mais os dias felizes como se fossem os últimos. Em minha primeira experiência como pai, isso teve de ser treinado. Afinal, Rafael nasceu 5 dias antes de eu completar 24 anos. Nessa idade, tudo é possível, só há vitórias, eu não tinha medo de nada. Como pensar em morte? Mas me mantinha firme na convicção de treinar o espírito para estar pronto num — até ali inédito — cenário de crise.

Deixou de ser inédito na primeira visita da morte à minha casa. Em 1993, perdi minha mãe, após longo sofrimento — diabetes, hipertensão e parte da perna amputada. Junto com a saudade, ficou a certeza de que eu estava no caminho certo ao entregar todos os dias meu coração e minha devoção a Rafael. Se minha mãe partira pouco antes de completar 57 anos, quem me garantia que eu teria mais tempo do que ela para fazer de meu filho um cidadão pleno de amor, confiança, segurança, sem lacunas emocionais a preencher?

Mas — sempre o "mas" — às vezes o time treina, treina, treina e está prontinho para o jogo, mas o time adversário simplesmente é mais forte e nos vence. Em 2010, eu e Rafa enfrentamos o que certa vez qualifiquei como "o Barcelona das doenças". A morte, bem viva, saiu do mero radar e postou-se novamente na porta da minha casa. Entrou sem cerimônia procurando por Rafael, ali com 21 anos (a mesma idade que eu tinha quando me caiu a ficha sobre a concretude da morte). Insinuante que é, ela lhe trouxe uma lembrança: um linfoma, algo impensável para quem mal tivera uma gripe forte na vida. Contrariando situações em que, dizem, ela chega sem avisar, no caso de Rafa — assim como no de sua avó — a morte ficou avisando durante dez meses.

A partida traumática de dona Esther provocara um pequeno abalo na minha convicção de que a ideia da morte deve integrar a vida de modo natural. Essa hesitação me levou, por exemplo, a dar uma garantia a fundo perdido ao Rafael: "Filho, sempre vou te orientar sobre o que vai acontecer a cada opção que você fizer na vida. Mas respeitarei a sua decisão. E tenha uma certeza: se no fim do caminho escolhido você se arrepender, fique tranquilo. Estarei lá pra ajudar, pode deixar que sempre vou resolver." Mas como se "resolve" um câncer?

O bom (se é que há "bom" numa situação dessas) é que o xeque-mate do destino veio quando Rafa já havia interiorizado o que eu lhe dizia todos os dias desde sempre: o quanto o amava. Não apagou a minha plena presença, do jeito que fosse, em todas as situações da vida dele. Tampouco apagou a certeza que meu filho tinha de que eu me dedicava a ele como se não houvesse futuro. Se eu tivesse deixado de sentir a morte no entorno, não teria ouvido dele algumas palavras que serviram como um poderoso anestésico nas tantas vezes em que vi a foice sobre sua cabeça. "Pai, o jeito como você e a mamãe (Mônica, meu primeiro casamento) me criaram me deixou pronto para enfrentar qualquer situação. Até a morte." Ou: "Pai, relaxa. Eu sempre gostei do jeito como você lida com todas as situações. Até quando erra você acerta".

Rafa me ouvia muito, mas a morte não me deu a menor atenção nas tantas vezes que tentei convencê-la de que eu poderia ser uma companhia melhor para ela do que meu menino. Lutei contra ela durante todo o pesado tratamento do Rafa, e eu era o único da família que não percebia que quanto mais eu batia na morte, mais ela crescia — só fui entender que sua visita à minha casa tinha acabado quando busquei o pulso dele e não achei.

Em seu último dia de vida por aqui, Rafael, pronto no melhor dos sentidos para a partida, disse-me ainda no hospital: "Pai, eu queria ir pra casa". Eu sabia que a "casa" a que ele se referia não era a física, esta havia sido alugada pela morte dez meses antes. Ele, que também treinara muito para jogar com a morte, falava da casa que temos em outro plano: a eternidade, o infinito, o céu, aquilo em que cada um acredita, mas de que só teremos certeza quando chegar nossa hora. Meu filho sabia que a dele estava muito próxima e usou a metáfora para se despedir. Tenho absoluta fé de que temporariamente.

A morte me pôs à prova, e mesmo sofrendo a pior, a mais pungente, a menos tolerável das dores – a da perda de um filho –, não deixei que ela me paralisasse. Chamei-a para um breve passeio em 2011 ao escrever um livro sobre Rafael, em que tive de reviver todos os movimentos dela no ano anterior. Era necessário. Sou jornalista, conto histórias, e a história do meu amor pelo Rafa não podia morrer comigo.

Em 2014 foi minha vez de pôr à prova a vida. Nasceu Maria Luísa, minha filha, minha princesa de luz, que tem Boamorte no sobrenome e me devolveu a vida. Com ela é até mais fácil eu colocar em prática minhas convicções sobre o pouco tempo que temos para dizer "eu te amo", para nos divertir, para dar as gargalhadas que ela adora, para brincar, para ser felizes todos os dias, para simplesmente viver. Porque agora meu convívio com a morte não é só teórico, remoto. Foi duramente presencial.

Tenho com Malu uma tênue diferença de abordagem em relação ao Rafa. A devoção incondicional, por tudo que expus aqui, é a mesma. Só que agora a sensação de finitude é matemática, quase tátil. Se com Rafael eu nunca havia pensado na idade que teria, por exemplo, quando de sua formatura, de Malu eu sou um pai de certo modo velho. Quando ela completar os mesmos 21 anos que o irmão viveu entre nós, eu terei 70. Essa distância de tempo me leva a dizer sempre a Luciana, mãe de Malu: "Eu não posso morrer, não!" Pretendo estar vivo aos 70, e se sair na genética a meu pai (que está inteiraço aos 88 anos, mesmo com o golpe duríssimo que foi a perda do neto amado), viverei para conhecer os netos. Mas, bem sabemos, o dia de hoje pode também ser o último.

Por mais que já se tenham transcorrido trinta e cinco anos desde aquele 1986, sei que não é fácil para todos levar a vida levando também a morte. Meu pai, a mãe de Rafa, Luciana e outras pessoas da família não gostam de lembrar ou falar sobre a dor e o luto. Também a mim não faz bem pensar em 2010, mas tenho tantas lembranças boas e anteriores do meu filho que delas me alimento. Quando a saudade passa do limite, coloco um áudio e um vídeo nosso e dou boas risadas.

Quando a morte chega em casa

Malu ainda está tateando em sua relação com a morte. Às vezes me diz, com os olhos marejados, que queria ter conhecido o irmão e que ele estivesse na nossa casa. Mas aprendeu a "conversar" com ele sem traumas — e parece ter muito prestígio com Rafael. Dia desses, fui surpreendido por uma tempestade andando de bicicleta com ela. Com a água não houve problema, mas Malu estava assustada com os trovões. Quando ela começou a chorar, Rafael cutucou minha alma e eu disse a Malu, segurando-lhe a mãozinha: "Filha, vamos fechar os olhos e pedir ao seu irmão para mandar os trovões para longe daqui. A chuva vai dar muito trabalho, mas os trovões ele consegue espantar". Ela conteve imediatamente o choro, cerrou os olhinhos e se concentrou. Os trovões silenciaram. E, em minutos, a chuva também parou.

Talvez a maior dúvida da humanidade, ao lado do desconhecimento da nossa origem, seja sobre se há vida após a morte. Mas a ciência já provou, sem muita pesquisa: há morte após a vida. A simplicidade disso facilita muito minha atitude de viver, na melhor acepção do termo: desfrutar, compartilhar amor e bons momentos. Porque o que vem pela frente eu sei, só não sei quando. Rafael morreu, e eu conto muito com a compaixão da morte para o fato de que já dei a ela minha cota por uns bons 100 anos para Malu. Quando chegar a hora dela, em 2114, minha filha comprovará o que seu irmão já comprovou, a certeza que me atrevi a dividir com todos no título do meu livro: nem a morte nos separa.

Os autores

Ana Lucia Coradazzi
Médica oncologista clínica com atuação em cuidados paliativos, hoje responsável pelo serviço de Oncologia Clínica da Faculdade de Medicina de Botucatu — Unesp. Autora dos livros *No final do corredor* e *O médico e o rio*, nos quais escreve sobre o quanto nosso envolvimento nas histórias de vida dos pacientes pode ser transformador. **Contato:** http://linktr.ee/anacoradazzi

Juliana Martins de Mattos Gonnelli
Psicóloga clínica formada há 26 anos, com atuação em psicologia hospitalar, psico-oncologia e cuidados paliativos. Apaixonada, realizada, honrada e profundamente grata por trabalhar em um hospital do SUS. Aspirante a cozinheira, poeta e fotógrafa, ama viajar e é mãe do Bono, filho de quatro patas. **Contato:** julianammattos@gmail.com.

Karina Okajima Fukumitsu
Psicóloga e psicopedagoga, com pós-doutorado em Psicologia pelo Instituto de Psicologia da Universidade de São Paulo (USP). Mestre em Psicologia Clínica pela Michigan School of Professional Psychology. Coordenadora do curso de pós-graduação em Suicidologia da Universidade Phorte e dos cursos de pós-graduação em Morte e Psicologia — Promoção da Saúde e Clínica Ampliada e em Abordagem Clínica e Institucional em Gestalt-terapia, da Universidade Cruzeiro do Sul (Unicsul). Produtora e apresentadora do *podcast* "Se tem vida, tem jeito" e organizadora desta obra. **Contato:** https://linktr.ee/karinafukumitsu.

Maria das Graças Mota Cruz de Assis Figueiredo

Psiquiatra e paliativista. Autora, coautora de livros e capítulos de livros sobre cuidados paliativos, luto, bioética, psiquiatria. Tradutora e cotradutora de livros sobre cuidados paliativos. Professora de Tanatologia, Cuidados Paliativos e Luto na Faculdade de Medicina de Itajubá, MG. **Contato:** motacruzdeassisfigueiredo@gmail.com.

Maria Júlia Paes da Silva

Enfermeira, professora titular aposentada da Escola de Enfermagem da Universidade de São Paulo (USP). Tem mestrado, doutorado e livre-docência em Comunicação Interpessoal. Autora dos livros *Comunicação tem remédio — A comunicação nas relações interpessoais em saúde, O amor é o caminho — Maneiras de cuidar* e *No caminho — Fragmentos para ser o melhor*, entre outros. Praticante de *tai chi* e meditação *vipassana*. **Contato:** juliaps@usp.br.

Mariana Ferrão

Jornalista formada pela Pontifícia Universidade Católica de São Paulo (PUC-SP). Hoje faz pós-graduação na PUC-RS em Sociologia, História e Filosofia. Trabalhou durante 20 anos na TV, 11 deles na Globo, onde apresentou o programa Bem Estar. Especializou-se em saúde e fundou a Soul.Me, empresa baseada em quatro pilares: ciência, consciência, conexão e cuidado. É mãe do Miguel e do João. **Contato:** mariana@soulme.com.

Michelle Bittencourt Braga

Psicanalista. Psicóloga formada pela Universidade Mackenzie. Especialista em Oncologia Multiprofissional pelo Instituto Israelita de Ensino e Pesquisa Albert Einstein. Integrante do grupo Transformador em Amor, do Núcleo de Assistência Social do Instituto Sedes. Atua como psicóloga hospitalar, psicóloga clínica e é atriz nas horas vagas. **Contato:** bittencourt.michelle@gmail.com.

Miguel Angelo Boarati

Médico psiquiatra da infância e adolescência, formado pela Faculdade de Medicina de Ribeirão Preto da Universidade de São Paulo. Colaborador do Programa de Transtornos Afetivos da Infância e Adolescência (Prata), do Instituto de Psiquiatria do Hospital das Clínicas da FMUSP. Professor do curso de pós-graduação em Suicidologia da Universidade Municipal de São Caetano do Sul (USCS). Professor do Instituto Ânima de Psicologia Analítica de Ribeirão Preto. **Contato:** http://linktr.ee/miguelboarati.

Plínio Cutait

Mestre de *reiki*, membro da The Reiki Alliance desde 1994, diretor da The Reiki Foundation International de 1999 a 2011. Dá cursos e palestras em diversos países há 30 anos. Coordenador do Núcleo de Cuidados Integrativos do Hospital Sírio-Libanês desde seu início, em 2008. Coordenador do curso de pós-graduação em Cuidados Integrativos do Hospital Sírio-Libanês. Músico, compositor e arranjador. Pai de três e avô de quatro. **Contato:** plicut@uol.com.br.

Rafael Stein

Me chamam de Stein ou Rafa. A perda da minha esposa mudou minha vida para sempre e, ao vivenciar a morte com meus filhos, fui me redescobrindo como pai e como homem. Desde então tenho escrito cartas, bilhetes e publicado no site cartasparamaria.com.br. Lidar com a morte e com o luto é algo muito pessoal, mas, entre altos e baixos, é possível encontrar um caminho. **Contato:** rafaelmstein@gmail.com.

Ricardo Gonzalez

Carioca, 56 anos, jornalista formado em 1987 pela Universidade Federal do Rio de Janeiro (UFRJ), pós-graduado em Docência do Ensino Superior pelo IAVM-RJ. Trabalha desde 2010 no Grupo Globo, exercendo atualmente a função de comentarista esportivo. Publicou

Teresa Vera de Souza Gouvêa e Karina Okajima Fukumitsu (orgs.)

Formando equipes vencedoras (Record, 2006) e *Nem a morte nos separa* (Mauad X, 2014). Casado com Luciana, é pai de Rafael e Maria Luisa. **Contato:** rgonzalez@infolink.com.br.

Teresa Vera de Sousa Gouvêa
Psicóloga, especialista em Luto pelo 4 Estações Instituto de Psicologia e em Terapia Familiar e de Casal pela Pontifícia Universidade Católica de São Paulo (PUC-SP). Autora do livro *Laços e lutos* (Multifoco, 2016). Coautora do livro *Vida, morte e luto* (Summus, 2018). Professora dos cursos de pós-graduação em Suicidologia da Universidade Municipal de São Caetano do Sul (USCS) e em Psicologia Hospitalar da Universidade de Taubaté. Administra o site Laços e Lutos (www.lacoselutos.com.br) e o perfil do Instagram @lacoselutos_. Apaixonada por livros, filmes e tudo que gera poesia. Organizadora desta obra. **Contato:** gouveass@uol.com.br.

Tom Almeida
Ativista, especialista em Luto pelo 4 Estações Instituto de Psicologia. Fundador do Movimento inFINITO (@infinito.etc) e idealizador do Festival inFINITO. Foi depois de viver três mortes importantes ao longo de três anos seguidos que decidiu dedicar sua vida a contribuir ativamente na criação de um jeito diferente de viver a morte — mais confortável, íntimo e amoroso. **Contato:** tomalmeida@infinito.etc.br.

leia também

Luto é outra palavra para falar de amor – Cinco formas de honrar a vida de quem vai e de quem fica após uma perda
Rodrigo Luz

Neste livro, o psicólogo Rodrigo Luz apresenta as muitas faces e os diversos sentimentos que constituem o luto. Além disso, conta algumas das muitas histórias vividas por ele no contato com famílias e indivíduos que enfrentam a perda. De forma empática e acolhedora, o autor detalha cinco maneiras de honrar aqueles que se foram, oferecendo aos enlutados infinitas possibilidades de acolher a dor e mostrando que ela é uma das faces do amor.

ISBN 978-85-7183-285-5

O médico e o rio – Histórias, experiências e lições de vida
Ana Lucia Coradazzi e Lucas Cantadori

O médico e o rio é um livro de histórias reais. Mais que isso, versa sobre humanidade. O leitor encontrará aqui pessoas comuns cuja vida foi transformada pelo câncer e, de alguma maneira, precisaram reinventar seus caminhos, tornando única a sua existência. Mas o que torna esta obra ainda mais especial são seus autores – ambos médicos dedicados aos cuidados paliativos – e seu olhar delicado e solidário para as forças e as fragilidades de seus pacientes.

ISBN 978-65-87862-00-2

Vida, morte e luto – Atualidades brasileiras
Karina Okajima Fukumitsu (org.)

Escrito por profissionais da saúde, este livro multidisciplinar atualiza os estudos sobre a morte, o morrer, a dor e o luto no Brasil. Destinado a psicólogos, médicos, assistentes sociais, enfermeiros, fisioterapeutas, terapeutas ocupacionais etc., aborda temas como: espiritualidade, finitude humana, medicina e cuidados paliativos; pesquisas e práticas sobre luto no Brasil e no exterior; luto não autorizado e redes de apoio aos enlutados.

ISBN 978-85-323-1101-6

www.gruposummus.com.br